LE VOL NUPTIAL

FRANCESCO ALBERONI

LE VOL NUPTIAL

L'imaginaire amoureux des femmes

Traduit de l'italien par Pierre Girard

PLON
76, rue Bonaparte
PARIS

TITRE ORIGINAL

Il Volo nuziale

ISBN édition originale (Garzanti, Milano) : 88-11-59824-9
ISBN Librairie Plon : 2-259-02768-7

Il est beaucoup question dans ce livre
de *Innamoramento*.
La langue italienne
a conservé le sens du mot *innamoramento*
là où le français n'utilise plus
l'ancien verbe « s'énamourer »
que dans certains usages désuets ou dérisoires.
Aussi a-t-on choisi, dans cet ouvrage,
l'expression « amour naissant »
pour rendre la même idée*.

---

* Édition française du *Choc amoureux*. N.d.T.

1

Passions amoureuses

1. *Amour naissant et amour*

Dix ans ont passé depuis que j'ai traité le thème de l'amour naissant et de l'amour[1]; thème qui a fait, depuis, l'objet de nombreuses recherches empiriques[2]. L'explication et l'interprétation de ce phénomène si important dans notre existence n'ont pourtant guère progressé sur le plan conceptuel. Appliqués à classifier les différents types d'amour, à établir des échelles pour les mesurer, les chercheurs[3] ont omis de se

---

1. F. Alberoni, *Le Choc amoureux*, Paris, Press Pocket, 1993.

2. Cf. G. Di Fraia, *La Fedeltà e l'infedeltà* La fidélité et l'infidélité), Collana Ricerche Harmony sulla coppia, Milan, 1990; G. Di Fraia, *La Passione amorosa, id.*, Milan, 1991.

3. Lee, par exemple, a décrit neuf facteurs distincts susceptibles de se combiner pour produire autant de formes d'amours différentes. Cf. J.A. Lee, *A Typology of Styles of Loving*, in «Personality and Social Psychology Bull», 1977, 3, pp. 173-182. Pour Davie et Todd, l'amour serait au contraire l'amitié liée au *care for* (l'affection, l'attachement) et à divers degrés de passion. Cf. K.E. Davis, M.J. Todd, *Near and Dear: Friendship and Love compared*, in «Psychology Today», 1985, pp. 222-230. Plus récemment, Sternberg a isolé trois facteurs : la passion, l'intimité et le devoir. Leur combinaison produit neuf types d'amour. Cf. Sternerg, «A Triangular Theory of Love», in *Psychological Review*, 1986, 93, pp. 119-135.

poser les questions les plus importantes. Qu'est-ce que le fait d'être amoureux ? Comment cet amour naît-il, par quel processus deux personnes qui, parfois ne s'étaient jamais vues jusque-là, éprouvent-elles l'une pour l'autre une attraction irrésistible et forment-elles une nouvelle entité sociale puissamment solidaire et capable d'affronter l'existence ?

S'il existe un phénomène susceptible de battre en brèche la conception contractualisée de la société, c'est bien le sentiment amoureux. Car la communauté constituée par deux personnes amoureuses l'une de l'autre n'est pas le produit d'un pacte, mais d'une passion. La force qui la maintient unie n'est pas la volonté, mais l'ouragan émotionnel, et sa durée n'est pas commandée par une intention, mais par une nécessité. Le pacte vient dans un deuxième temps, il s'oppose à la passion ou la délimite, comme la digue qui retient le courant impétueux. Mais nul n'aurait jamais édifié une digue si n'avait existé d'abord ce courant ; et le fleuve, en son tout, est fait à la fois de l'un et de l'autre, il est le flot et il est la digue.

D'autres questions se posent. Quel rapport y a-t-il entre une attraction passagère, une toquade, un « béguin » et un amour profond, ravageur, qui dure des années et des années et conditionne toute une vie ? Les chercheurs auxquels je faisais allusion ci-dessus, fidèles à l'analyse factuelle, se sont escrimés à isoler et à décrire les nuances de l'expérience amoureuse et à les traduire en statistiques. Comme si, dans un bois, nous trouvions des milliers et des milliers d'empreintes de pas filant dans toutes les directions, superposées et entrecroisées à l'infini, et nous efforcions de classifier les formes qu'elles ont dessinées : cercles, ellipses, spirales, rectangles, trapèzes, polygones irréguliers, croix, pointillés... Mais en réalité, toutes ces traces ont été laissées par quelqu'un qui « explorait » le bois ; qui prenait une direction, s'avançait dans un chemin creux, revenait sur ses pas... Tout devient clair quand on comprend que cet entrelacs d'empreintes est le produit d'une action finalisée qui se déroule dans le temps, avec un début et une fin.

De même, l'amour, l'ensemble de nos amours, de nos sentiments, de leurs infinies nuances, ne prennent un sens que si nous parvenons à identifier le processus dont ils sont la manifestation. Selon notre explication, tout commence par un désordre, une dissonance qui va croissant. Non seulement envers une personne précise, notre père, ou notre mère, ou notre mari ou notre femme. Mais aussi à l'égard de notre vie tout entière et de tout ce qui la compose. C'est cet élan vital, en nous, qui nous pousse à rechercher sans cesse de nouvelles expériences, à explorer l'univers changeant dans lequel nous évoluons, et à nous y adapter. Cet élan, présent à tous les âges de la vie, se manifeste avec une intensité particulière au moment de l'adolescence.

L'adolescence n'est pas seulement une rébellion contre le père et la mère, c'est aussi une phase de maturation contrariée par tout ce que nous avons été pendant notre enfance, c'est la recherche d'une autre façon d'être, l'incubation d'une métamorphose. Tout ce qui a été objet d'amour, tous les rapports établis jusque-là, absolument tout, jusqu'aux jouets et aux meubles de la maison, est désinvesti et réinvesti d'un sens nouveau. L'esprit explore d'autres alternatives, imagine, rêve. Un excès d'énergie demande à s'exprimer et cherche sa voie.

Le processus est fait de tentatives et d'erreurs, d'avancées et de retours en arrière, à l'image des empreintes de pas que nous évoquions plus haut. La tension succède à l'espérance, l'enthousiasme se transforme en angoisse et en désespoir. Le sujet ressent le besoin d'une perspective, d'un projet unificateur, d'un débouché. Et voici qu'explose, à l'improviste, le sentiment amoureux. Et qu'avec lui apparaît non seulement un nouvel objet d'amour, mais aussi un projet de vie. Les mille fils dispersés de l'action se réordonnent dans une même direction. L'énergie, jusque-là incertaine, contradictoire, sujette à des emballements et à des blocages, se dirige, exultante, vers son but. C'est l'*état naissant* de l'amour. Ainsi, le sentiment amoureux n'est pas seulement un sentiment, une fixation de la libido sur un nouvel objet. C'est le triomphe de l'élan vital qui, à ce stade, surmonte les obstacles et crée son propre but, c'est une métamorphose, une mort-renaissance. La personne aimée constitue une fin et un moyen. Une fin, parce qu'elle est ardemment désirée, et un moyen, parce qu'elle est aussi la voie, la porte qui donne accès à une vie nouvelle.

Cette théorie implique pour chacun de nous une forte probabilité de tomber amoureux dans toutes les situations qui nous demandent de changer profondément. Soit parce que nous voulons sortir d'une situation qui nous est devenue insupportable, soit parce que nous voulons pénétrer dans un monde nouveau qui s'ouvre devant nous. Se produit alors une lente et souterraine maturation qui va demeurer invisible aussi longtemps que les énergies n'auront pas atteint le seuil au-delà duquel elles sont prêtes pour un bond en avant. L'érotisme, alors, se fixe sur une personne qui symbolise la mutation, qui la rend possible, qui la favorise. Les toquades, les engouements, les attractions subites sont le symptôme d'un besoin de changement et constituent autant d'explorations, de tentatives et d'errements qui ne conduisent nulle part — en tout cas, à rien d'important.

Fausses portes, portes entrebâillées, impasses. Il n'existe peut-être pas de différence substantielle entre l'expérience initiale du «béguin» et celle du grand amour. Seul l'état global du sujet, son énergie, ses besoins, les caprices de son imagination, ses potentialités, les qualités réelles de l'autre personne, le déroulement concret de l'interaction décident de ce qui se passera ensuite, de ce qui naîtra de cette attraction subite. Dans le cas d'une simple toquade, l'aspiration au changement est trop faible, elle cède devant les obstacles, se replie sur elle-même et s'évanouit. Quand enfin apparaît le sentiment amoureux véritable, elle donne naissance à une expérience émotionnelle et intellectuelle complexe qui, *pour peu que l'autre personne l'éprouve également, produit l'état naissant collectif, la fusion.*

L'état naissant est peut-être le chaos originel, le *big bang* à partir duquel s'opère la reconstruction du monde subjectif de l'individu amoureux et, sur le plan sociologique, la création d'une nouvelle société formée de ces deux êtres en interaction avec le système social environnant.

Le processus de fusion incandescente produit une expérience subjective très particulière, décrite, sous des appellations diverses, par Stendhal, Barthes, Tennov et moi-même[1]. C'est l'*Expérience Fondamentale*, un maelström d'émotions et d'élans qui transcendent le quotidien. A sa chaleur, les individus changent et se modèlent l'un sur l'autre, entrent en conflit, établissent des pactes, reconstruisent leurs rapports avec le monde extérieur et ainsi, petit à petit, produisent un nouveau corps de règles, de certitudes : l'institution. L'amour à l'état naissant devient, ainsi, l'amour-institution puis, à travers une série de passages successifs, la nouvelle quotidienneté.

L'*amour naissant* est le processus qui va de la destruction de l'ordre ancien, existant dans la phase de l'état naissant, à la reconstruction d'un ordre nouveau et d'une nouvelle quotidienneté. Il est l'ensemble des opérations et des expériences qui accompagnent la transition.

2. Érotisme et amour

Le processus de l'*amour naissant* que nous décrivons devrait être le même chez les hommes et chez les femmes. Des différences sensibles existent pourtant, d'un sexe à l'autre, en ce qui concerne la sensibilité érotique. Je serais, pour

1. Stendhal, *De l'amour*. Roland Barthes, *Fragments d'un discours amoureux*. D. Tennov, *Love and Limerence*, New York, Stein and Day, 1979. F. Alberoni, *Le Choc amoureux*.

15

ma part, tenté de croire qu'elles ont toutes, ou presque, une origine culturelle. Dans l'espèce humaine, l'immense appareil pensant et sensible constitué par le système nerveux central et le système neuro-végétatif et endocrinien est programmé dès la naissance pour chaque individu. Cette programmation s'opère sur des modèles qui remontent au passé le plus lointain, ils sont transmis de génération en génération à travers le langage, les formes de pensée, les gestes, les nuances émotionnelles les plus ténues. Il faudrait, pour la reconstruire, une étude historique que personne, à ce jour, n'est en mesure de réaliser. Nous ne pouvons que décrire les différences de comportements et d'expériences que nous offre notre époque, sans prétendre savoir ce qu'il en fut aux époques passées et ce qu'en sera l'évolution future.

L'érotisme féminin, comparé à l'érotisme masculin, apparaît plus complexe[1]. Il s'éveille et prend vie selon une *Gestalt* composée de stimuli visuels, tactiles, olfactifs, cénesthésiques, mais aussi de l'image globale, sociale de la personne. Y participent le corps physique, la poitrine, les bras, les flancs, les jambes, mais aussi les gestes, la façon de s'habiller, la démarche. La fascination peut naître de la couleur des yeux, mais aussi de la richesse, du pouvoir, de l'intelligence. Ce sera

---

1. Cf. Francesco Alberoni, *L'Érotisme*, Paris, éd. Ramsay.

un attribut physique et social, un regard et un geste de commandement, le ton de la voix et une voiture de sport, une odeur, un signe d'approbation. La femme, en outre, désire être courtisée, appréciée pour tout ce qu'elle représente en tant que personne. Et, réciproquement, elle veut susciter chez l'homme non seulement un désir sexuel occasionnel et anonyme, mais une émotion érotique capable de laisser en lui une marque indélébile. Elle veut être aimée.

Chez la femme, la sexualité se confond avec l'amour et trouve en lui sa noblesse. Le plaisir de l'amour est intrinsèquement moral. L'amour est don, abandon, altruisme, engagement, responsabilité.

L'homme est capable de tout cela, il est capable d'amour, mais il est pourvu aussi d'une sexualité séparée, rebelle : le corps féminin suffit à l'activer. Et il suffit même, parfois, d'un détail de ce corps, fût-il sans le moindre rapport avec la valeur morale ou sociale de la personne qui en est l'objet. Son désir le porte vers la reine comme vers la prostituée, s'excite aux images anonymes de la pornographie.

L'intégration de l'amour et de la sexualité, naturelle chez la femme, est ainsi pour l'homme une source de problèmes. Elle ne se réalise parfaitement que dans l'état amoureux. L'*amour naissant*, fait de don et de responsabilité, est aussi l'explosion maximum de l'érotisme, de la sexualité étendue à tous les sens, débordante sur le monde. Mais les deux processus tendent ensuite à se scinder avec une grande facilité. Dans la frustration, mais aussi dans la sérénité du quotidien : d'un côté l'amour, le devoir, la fidélité ; de l'autre l'excitation sexuelle, trouble, capricieuse, immorale. Mais cette séparation entre sexualité et amour est-elle originelle, a-t-elle toujours existé, ou bien est-elle elle-même, au moins en partie, un produit de l'histoire, le résultat d'un certain type de rapport social entre les sexes ? Les petits garçons éprouvent de tendres sentiments amoureux pour leurs compagnes de jeu, ils s'éprennent d'elles. Les adolescents, eux aussi, ont une forte tendance à tomber amoureux et se montrent alors tendres et délicats. La sexualité et l'amour sont peut-être beaucoup plus confondus, liés dès l'origine, qu'ils ne le sont par la suite. Peut-être se passe-t-il, au cours de l'adolescence justement, quelque chose qui les pousse à se différencier.

Les fantasmes érotiques féminins sont souvent liés à une histoire riche d'émotions et de significations. Les fantasmes masculins, au contraire, sont généralement faits de quelques images visuelles concernant un rapport sexuel, voire un détail de celui-ci. Il y a de multiples causes à cette différence. Les propensions biologiques, génétiques, l'apprentissage de l'enfance. On peut sans doute y ajouter, comme cause concomitante, le fait que, dans notre société, pendant toute la durée de l'adolescence, c'est-à-dire au moment où s'éveille notre sexualité, il est plus facile et plus gratifiant pour les femmes et plus difficile et plus frustrant pour les hommes de donner libre cours à son imagination amoureuse. Un fantasme doit, pour exister, revêtir un minimum de vraisemblance, entretenir un lien, si ténu soit-il, avec la réalité. Or, il se trouve que l'érotisme masculin et l'érotisme féminin facilitent les rêveries amoureuses des adolescentes, mais rendent difficiles celles des adolescents. Une gamine de quinze ans peut rêver qu'elle rencontre au cours d'une fête un chanteur célèbre qui la regarde, lui sourit, l'invite à sortir avec lui et tombe amoureux d'elle. C'est improbable, mais ce n'est pas impossible. Un garçon du même âge ne peut faire de même car il sait que la grande chanteuse, dans le meilleur des cas, ne lui adressera qu'un sourire de sympathie.

On peut ainsi avancer l'hypothèse que la nette séparation entre sexualité et amour est aussi le produit des expériences vécues au cours de l'adolescence.

Allons plus loin. Les différences entre les sexes ne consistent pas seulement en une séparation plus marquée entre le sexe et l'amour. Il existe des formes d'amour et des façons d'aimer plus caractéristiques de l'un et de l'autre sexe. Et même si l'expérience de l'amour naissant, en

19

profondeur, est la même dans les deux cas, il y a différentes façons d'arriver à l'état amoureux, de l'accueillir et de le cultiver.

Depuis que j'ai étudié le phénomène[1] du vedettariat, je me suis aperçu que de nombreuses femmes éprouvaient pour leur idole une forme d'attachement, d'amour, voire de passion, totalement inconnue chez la plupart des hommes. J'ai longtemps pensé qu'il y avait là une espèce de sous-développement, de retard culturel, appelée à disparaître d'ici quelques années. C'est d'ailleurs ce que soutenaient, de leur côté, les féministes et nombre de psychologues. Mais est-ce bien vrai? L'idolâtrie pour Rudolph Valentino ou Clark Gable a disparu, certes, mais c'est Tom Cruise ou Paul Newman qu'elles adorent aujourd'hui. Faut-il y voir un signe que le processus d'émancipation est arrêté, ou, plus simplement, le fait que le goût pour la passion amoureuse obéit, chez les femmes, à d'autres lois que chez les hommes?

L'amour naissant qui prend pour objet une célébrité ne correspond que partiellement au phénomène tel que nous l'avons décrit. Nous avons dit que nous tombions amoureux une fois qu'avaient mûri en nous les conditions d'une profonde mutation vitale. A partir d'un certain degré de maturation, les énergies cachées pous-

---

1. Francesco Alberoni, *L'élite senza potere*, Bompiani, 1973.

sent le sujet à sortir de lui-même et se déversent sur un nouvel objet d'amour qui symbolise le changement, qui le rend possible. Le sujet s'entiche de l'autre personne, il est fasciné, attiré, en proie au désir — il aime. Et c'est le point de départ d'un bouleversement émotionnel qui rend possible la fusion avec l'autre et un changement radical de sa propre existence.

Je peux aussi tomber amoureux d'une personne lointaine, qui ne veut peut-être rien savoir de moi, et avec laquelle je ne parviendrai pas à établir le moindre rapport. Dans ce cas, le processus démarre, mais ne va pas jusqu'à son terme. L'état naissant, qui avait pourtant commencé à se développer dans toute sa splendeur, avorte. Le sujet est rejeté en arrière. Il ressent alors une douleur profonde, déchirante, et il arrive souvent que son amour se transforme en ressentiment, sinon en haine.

Et l'on voit ici le paradoxe de l'amour idolâtre qui se voue à un objet lointain et inaccessible. La femme amoureuse de la star continue à l'aimer même si elle n'obtient aucune réponse, elle continue à désirer, à éprouver de la tendresse. L'absence de réciprocité ne produit ni souffrance ni déception, ni haine ni ressentiment. Comment cela se peut-il? Peut-être cet amour n'a-t-il pas pour finalité l'action, le changement, mais une simple satisfaction imaginaire, comme dans le film de Woody Allen *La Rose pourpre du Caire*? L'héroïne en est une pauvre femme mariée à une brute alcoolique. Elle se sauve en allant au cinéma. Là, elle revoit indéfiniment le même film dans lequel apparaît un bel explorateur dont elle est éperdument amoureuse. Sa passion pour l'explorateur ne la mène à rien. C'est un rêve, et elle vit dans son rêve pour échapper à une réalité insupportable.

Mais est-ce bien là le mécanisme qui régit l'idolâtrie pour les stars? Le rêve n'est-il que la satisfaction hallucinatoire d'un désir, n'est-il pas aussi une préparation? Quel rôle joue la chimère, le rêve d'un idéal, dans la vie amoureuse de la femme?

*

Pour répondre à ces questions, pour aborder l'exploration de ce continent inconnu, je commencerai par l'idolâtrie vis-à-vis des stars et je le ferai en examinant l'adolescence. C'est pendant cette période de la vie que les deux sexes se différencient radicalement, tant du point de vue physique que du point de vue de l'expérience érotique. C'est avec la transformation pubertaire qu'apparaît cet ensemble d'oppositions qui caractérise l'érotisme adulte.

Là encore, on peut déplorer une carence de la psychologie. Une importance extraordinaire a été donnée, sous l'influence des psychanalystes, à la sexualité infantile et aux objets primaires d'amour et d'identification. L'état amoureux a été vu comme une régression à des stades précoces du développement, à la projection de l'image paternelle ou maternelle sur l'être aimé, ou à la fusion océanique prénatale. Or, la sexualité, telle qu'elle éclôt avec l'adolescence, est indubitablement différente de celle de la prime enfance. De même que l'amour, quand il se révèle à cet âge de la vie, constitue une expérience absolument *sui generis*. Pas seulement une réédition du passé enfantin, mais une tempête de désirs passionnés, une souffrance, une espérance comme on n'en avait jamais éprouvé jusque-là, une discontinuité radicale, le projet d'une vie nouvelle. Et les expériences, les peines, les joies, les succès par lesquels nous passons entre notre dixième et notre vingtième année modèlent en profondeur les relations amoureuses que nous connaîtrons par la suite. En nous concentrant sur cette période, nous devrions découvrir quelque chose de nouveau, une trace précieuse.

2

L'éveil de l'amour

1. Une recherche

Comment s'éveille-t-on à l'amour pendant l'adolescence? De qui les garçons et les filles tombent-ils amoureux? Ont-ils des objets d'amour idéaux?

Il nous faut, pour répondre à ces questions, étudier aussi bien les sentiments des adolescents à l'égard des personnes réelles qui les entourent que les chimères, les rêves, les modèles idéaux qu'ils trouvent au cinéma ou à la télévision. Les stars figurent aussi dans l'univers érotique de cette période de la vie, et c'est précisément sur ce point que les recherches menées jusqu'ici ne nous apprennent rien. J'avais moi-même recueilli une foule d'informations sur les sentiments amoureux, et tout autant sur les stars, mais il restait à les recouper entre elles.

C'est pourquoi il m'a paru opportun de mener une nouvelle recherche empirique qui intègre les deux précédentes. Et je l'ai fait en parlant directement avec les jeunes gens ou en les enregistrant, de manière à écouter leurs discours, reconstruire leurs gestes, percevoir l'intensité de leurs émotions. Nous avons ainsi organisé de longs entretiens enregistrés avec cent soixante jeunes gens, pour moitié des garçons et pour moitié des filles de treize, quinze, dix-huit et vingt ans[1].

Les entretiens portaient sur divers groupes de questions. Les premières visaient à faire raconter par les jeunes leurs premières expériences amoureuses. Nous leur demandions quand ils étaient tombés amoureux pour la première fois, comment cela était arrivé, comment et pourquoi ce premier amour avait pris fin. Et maintenant,

1. A cette première enquête nous en avons adjoint une deuxième portant sur soixante jeunes âgés de vingt-cinq à trente ans qui s'étaient affirmés professionnellement et s'apprêtaient à se marier. Nous nous y référons au chapitre 5, *Deux amours*, paragraphe « L'arrimage ». Pour ne pas alourdir cet exposé, nous avons renvoyé en annexe les principales données de cette enquête, en indiquant non seulement les schémas mais aussi les principaux résultats, afin que les chercheurs puissent, s'ils le souhaitent, faire de nouvelles propositions. Nous avons adopté une méthode d'exposition très simple, qui devrait permettre au lecteur non spécialisé d'appréhender sans peine les résultats les plus significatifs. La présente étude a été rendue possible grâce à l'aide financière du ministère des Universités et de la Recherche scientifique. Un grand merci également au Dr Vittoria Taddeo qui s'est chargée des entretiens.

étaient-ils amoureux? Que pensaient-ils? Que ressentaient-ils?

Arrêtons-nous à ces premières informations, en commençant par les garçons de treize ans. Aucun d'entre eux n'éprouve de difficultés à parler de ses amours. Tous ont déjà été amoureux, et souvent plus d'une fois. Y compris lorsqu'ils étaient enfants. Celui-ci à dix ans, cet autre à huit ans, un troisième à six ans... Ce chapitre des amours enfantines est probablement l'un des territoires les moins explorés par la psychologie. Cet amour se présente comme une attraction, un intérêt profond, brûlant, pour un ou une camarade qu'on préfère à tous les autres. Il se manifeste par la recherche de sa présence, et par la tristesse qu'on éprouve si l'autre se montre indifférent.

Chez les petits garçons, la sympathie se porte généralement vers quelqu'un du même âge, et chez les filles, plus souvent vers des enfants plus âgés qu'elles. Une sympathie rarement partagée, et source de déception dans la plupart des cas. Tous éprouvent une grande difficulté à communiquer, car ils ne possèdent pas le langage qui leur permettrait d'exprimer leurs sentiments, ils ne savent trop que dire, que demander. La plupart de ces amours, ainsi, demeurent secrets, faits de regards et de rêveries, comme celui de Charlie Brown pour la petite fille aux cheveux roux.

A treize ans, les amours rappellent ces expériences encore infantiles, mais ils sont aussi plus intenses, chargés d'une urgence nouvelle. Les garçons interrogés dans le cadre de notre enquête sont presque tous amoureux, et parlent volontiers de leur expérience. Ils aiment généralement une fille du même âge qu'eux, souvent une camarade de classe, ou une voisine de quartier. Ce qu'ils décrivent n'est pas une attraction sexuelle. C'est de l'amour, un désir de proximité, de l'affection, de la tendresse, le besoin de la rendre heureuse. Les mots qu'ils emploient pour en parler expriment de la douceur, de la gentillesse, parfois teintées d'une touche de mélancolie, car cet amour n'est pas vraiment payé de retour, ou encore parce qu'ils ne savent comment le manifester.

Les filles du même âge sont d'ordinaire plus entreprenantes, plus actives, mais aussi plus instables, plus capricieuses. C'est elles, souvent, qui prennent l'initiative, qui mènent le jeu puis l'abandonnent avec une totale indifférence.

Un garçon de treize ans : «Il y a une fille de ma classe qui me plaît bien. Voilà un mois que je pense à elle. Elle est sympathique, cordiale, gentille. Elle me plaît, mais je n'arrive pas à le lui dire... chaque fois que je lui adresse la parole, je me mets à trembler. J'ai réussi à faire la connaissance d'un de ses amis, et comme ça je pourrai savoir si elle m'aime ou pas.» Un autre :

«Je suis amoureux d'une de mes camarades. Elle est méchante et elle a un sale caractère, pourtant elle me plaît beaucoup. Je ne sais pas pourquoi. Elle me traite mal, vraiment mal. Un jour, par exemple, je lui ai fait passer un mot. Vous savez ce qu'elle a fait? Elle m'en a renvoyé un plein d'insultes. Toute la classe sait qu'elle me traite mal, mais moi, je continue à la suivre, à penser à elle. Je ne veux pas la perdre.»

Il arrive que ces garçons se retrouvent embarqués dans les manigances de leurs petites amies. «Nous faisions du patinage artistique, raconte l'un d'eux, l'air désemparé, et elle m'a demandé de l'aider à rendre jaloux un autre garçon. Elle m'a expliqué tout ce que je devais faire. Je devais faire semblant de la courtiser. J'ai accepté volontiers, car ça me plaisait beaucoup. Mais ce type, il se fichait complètement d'elle. Alors que moi, petit à petit, je suis tombé amoureux. Et maintenant, elle joue celle qui ne comprend rien.»

Certains de ces amours durent très longtemps, et sont extrêmement sérieux. Comme l'avoue Cesare : «Ça s'est passé l'année dernière, on s'est connus dans une salle de jeux. On jouait toujours ensemble, et j'éprouvais pour elle une affection profonde. Ça a duré pendant tout le deuxième semestre, puis les vacances sont arrivées et je l'ai perdue de vue. J'ai continué à la chercher, et je la cherche encore.»

Ce sont les filles, presque toujours, qui ont

l'initiative : « Un jour, une fille d'une autre classe est venue me dire que je plaisais beaucoup à l'une de ses camarades et que celle-ci voulait savoir si j'accepterais de sortir avec elle. Je lui ai fait répondre que oui, car je l'avais déjà repérée. Puis, quand j'ai commencé à la fréquenter, j'ai changé d'avis. Elle sortait avec d'autres garçons. Et ça me gonflait qu'elle envoie ses copines me dire que je devais faire ceci ou cela. »

Il faut se souvenir que les filles, à cet âge, ont une préférence pour les garçons plus vieux qu'elles. Les « petits », du coup, ne sont jamais considérés. Sur vingt adolescents de treize ans, deux seulement voient leur amour payé de retour. Les autres aiment de loin, l'élue de leur cœur les a repoussés, ou bien ils n'ont pas réussi à se déclarer.

Voyons maintenant ce qu'il en est des filles de treize ans. Elles sont plus actives, plus versatiles. Elles prennent l'initiative, affrontent leurs rivales, ourdissent des intrigues. En voici un exemple : « Je suis sortie avec un camarade. Au début, on était de simples copains puis, à un certain moment, on a commencé à sortir ensemble. Ça a duré un an... puis ça s'est terminé, parce que en colonie, on m'a rapporté certaines choses sur lui. Bref, il courait après les filles. Nous étions six à nous le disputer, et il était le seul garçon. » Et une autre, Angela : « C'était l'un de mes camarades de classe. On est sortis ensemble pendant six mois. Il m'avait plu tout de suite, au début de l'année, et je le lui avais dit, car je le savais timide. Maintenant, il sort avec une autre et c'est elle qui fait la maligne pour me rendre jalouse. En fait, on s'est disputés. »

A treize ans, les adolescentes sont souvent déçues par leurs compagnons, et recherchent des partenaires plus âgés. L'une d'elles raconte en riant : « Lui et moi, ça a duré jusqu'à l'année dernière. Puis je me suis aperçue qu'il était comme les autres, contrairement à ce que j'avais cru. Immature. Il ne pensait pas aux filles, il ne pensait qu'à taper dans un ballon ! » Patrizia, désinvolte, se donne des airs de femme : « Ça s'est passé cette année, en Calabre. A vrai dire, c'est lui qui me courait après depuis un certain temps, mais je n'y faisais pas attention. Puis, petit à petit, je m'en suis rendu compte. On est toujours ensemble, mais il est resté en Calabre. Quand j'écris à ma cousine, je mets toujours un petit bonjour pour lui. Il y a des moments où j'aimerais bien le revoir, mais pas tout le temps : il y a tant de garçons, ici, à Milan ! »

Certains de ces béguins sont tout ce qu'il y a de plus éphémères. Comme le raconte, candide, une gamine de treize ans : « C'était il y a cinq ou six jours. J'ai fait sa connaissance à l'école, pendant la récréation. Il me plaisait à en mourir. On s'est fréquentés deux ou trois jours, puis j'en ai eu assez, il ne me plaisait plus. Lui, il a pris ça très mal. Mais que faire ? Au début, pourtant, il me plaisait ! »

Ces filles semblent plus dures, plus déterminées que les garçons, plus indifférentes aux conséquences de leurs actes. On a l'impression que seules comptent pour elles la perception et l'expérimentation de leurs propres sentiments. Elles ne se soucient pas, en fait, de la souffrance, des frustrations qu'elles provoquent. Elles se livrent à une expérience primaire, refermée sur elle-même, uniquement attentives à essayer, à mémoriser, à construire leur propre modèle intérieur.

*

Le deuxième groupe de questions visait à savoir si nos adolescents étaient intéressés par les personnages publics : chanteurs, acteurs de cinéma, vedettes de la télévision, champions sportifs. Tous ceux et celles qu'on appelle des stars, ou des idoles. Nous leur demandions s'ils avaient une star préférée et les invitions à en parler, à dire quels sentiments ils éprouvaient pour elle. Nous voulions surtout savoir s'ils ressentaient une véritable attraction amoureuse, s'ils se livraient à des rêveries amoureuses. Enfin, nous leur demandions ce qu'ils feraient s'ils avaient la possibilité de rencontrer leur idole en chair et en os, et que celle-ci leur manifeste de l'intérêt. Abandonneraient-ils alors, pour elle, leur petit ami ou leur petite amie? Qui choisiraient-ils?

Tous les garçons de treize ans ont à l'esprit une star du monde du spectacle qui les fascine plus que toute autre. Les plus souvent citées sont Madonna, Kim Basinger, Gianna Nannini, Carol Alt. Ils sont pleins d'admiration, éprouvent parfois une attirance érotique, quand ils ne sont pas intimidés, désemparés.

Écoutons un admirateur de Kim Basinger : « C'est une belle femme. Je l'admire énormément, et je rêve chaque fois que je regarde ses photos. Je rêve que je sors avec elle, que je lui apporte une pizza. Je me vois plus grand qu'en réalité, sinon ça ne peut pas marcher. Les sentiments que j'éprouve pour elle sont différents de ceux que j'éprouve pour ma copine, ils sont moins forts. Kim est un rêve qui ne pourra jamais se réaliser. Si je devais choisir? Ce n'est pas elle que je choisirais, car elle est trop âgée pour moi, et parce que je ne voudrais pas faire souffrir ma copine, qui m'aime, elle. »

Même réaction chez un admirateur de Carol Alt : « C'est une belle femme, je pense qu'elle doit avoir aussi une belle personnalité. Je vois ça aux interviews que je lis dans les journaux. J'aimerais lui parler, la connaître. Mais ce que je ressens pour elle n'a rien à voir avec mes sentiments pour ma copine. Si j'ai une copine, c'est à elle que je suis fidèle. »

Plus radical encore, cet admirateur de Madonna : « Madonna ? Oui, elle me plaît, cependant je n'éprouve aucun sentiment pour elle, j'appartiens tout entier à ma copine. Les sentiments, c'est autre chose. Oui, je voudrais bien la connaître, et je sortirais avec elle, mais certainement pas pour qu'on reste ensemble. Elle ne compte pas pour moi. »

Aucun d'entre eux ne s'abandonne à des rêveries amoureuses avec les stars qu'il admire. Les sentiments qu'elles inspirent à ces adolescents ne peuvent être qualifiés d'amoureux. Ils sont faits d'admiration pour la beauté, d'intérêt érotique, de respect et de curiosité. Ces stars sont des grandes personnes, qu'ils pourront peut-être, plus tard, rêver de conquérir, mais plus tard seulement. Leur amour va sans hésitation aux filles de leur âge, et c'est d'elles qu'ils s'éprennent, avec tendresse, avec force, avec sérieux, même s'ils n'y trouvent pas de réciprocité.

Le comportement des filles est radicalement différent. Froides, instables, sans scrupule lorsqu'elles parlent de leurs amours et de leurs petits copains, elles s'animent dès qu'il est question de leurs idoles. On perçoit dans leur discours une tension émotionnelle mal contenue, comme si elles hésitaient, comme si elles avaient honte ou peur de se raconter. Ce qu'elles ressentent n'est pas seulement de l'intérêt, de l'admiration et du respect, c'est quelque chose de plus, une attirance érotique, amoureuse, qui peut se révéler intense, tenace. Ces personnages sont l'objet de conversations, de disputes, de rêveries. Elles se voient comme l'héroïne féminine de tel ou tel de leurs films, rêvent de les rencontrer, d'attirer leur attention.

Certaines n'hésitent pas à proclamer une véritable passion. Celle-ci, par exemple, qui a Schwarzenegger pour idole : «Il est beau, il est musclé, il est tendre. J'aime ses rôles au cinéma, il se fait le défenseur des honnêtes gens. Quand je le vois, je me dis, heureuse celle qui est avec lui! Si je le suivrais? Et comment! Trouvez-le-moi, et j'y vais! En courant! Je m'imagine souvent que je suis sa partenaire. Puis que je me marie avec lui. S'il me le demandait? Mais je n'hésiterais pas une seconde!»

A treize ans, toutefois, nombre d'entre elles s'inquiètent encore de leur différence d'âge avec l'idole. Comme cette admiratrice d'Eros Ramazzotti : «Il est très beau, j'ai beaucoup d'estime pour lui, la plupart des autres chanteurs se droguent. Je suis allée à un de ses concerts. Il s'était blessé à la jambe. Malgré ça, il a tenu trois heures en scène. Simplement pour chanter avec nous! Mais peut-être que mes sentiments ne sont qu'amicaux. Il a vingt ans de plus que moi, et ça me paraît un peu beaucoup. » D'autres, malgré leur attirance pour l'idole, choisissent, précisément pour ce motif, de rester avec leur petit copain. C'est ce qu'affirme Isabella, admiratrice de Tom Cruise : « Il est beau et courageux. Quand je le vois, je suis émue, je voudrais le connaître, je m'imagine qu'il est mon fiancé et que nous nous embrassons. S'il me fallait choisir, pourtant, je ne partirais pas avec lui. Je préfère rester avec Luca, parce que Tom Cruise est trop vieux ! »

On retire de ces entretiens l'impression que les filles de treize ans sont dans une grande incertitude, tant vis-à-vis des garçons qu'elles peuvent fréquenter que vis-à-vis de leurs idoles. Les premiers, quand ils sont de leur âge, leur paraissent insipides et immatures, et s'ils sont plus âgés elles ne parviennent pas à se faire prendre au sérieux. Elles sont fascinées par les stars, même quand il s'agit d'hommes mûrs ; elles éprouvent pour eux des sentiments amoureux très forts, mais se savent trop jeunes. Elles rêvent, mais estiment, précisément en raison de leur âge, que ces rêves sont irréalisables.

2. A quinze ans

Pratiquement tous les garçons de quinze ans ayant répondu à nos questions sont frustrés. La tension amoureuse de leurs treize ans est retombée, elle est inhibée. Ils évoquent avec nostalgie un amour passé. «J'étais vraiment amoureux, je n'ai plus éprouvé, depuis, de tels sentiments pour aucune autre fille. Au départ, on était de simples amis. Elle avait quelqu'un d'autre. Entre nous, ça a duré trois mois, mais avec six interruptions. On se quittait, on se reprenait. J'avais tout le temps envie de la voir, surtout quand on était loin l'un de l'autre. J'ai beaucoup souffert car, tout en étant avec moi, elle sortait avec un autre. Si je pouvais, pourtant, je recommencerais.»

Le thème de l'infidélité revient dans ces récits : «Ça s'est passé vers le mois d'octobre. J'ai fait sa connaissance au patronage. Elle était belle, généreuse, gentille. Je me sentais très amoureux d'elle, je voulais la rendre heureuse. Ça s'est terminé parce qu'elle sortait avec d'autres garçons. J'estime que si une fille est avec moi, elle est avec moi et c'est tout. Malgré ça, tu vois, je lui cours toujours après et je ne demanderais qu'à lui pardonner, mais elle continue à aller avec d'autres.»

Parmi ces garçons de quinze ans, deux seulement connaissent un amour partagé. Les autres disent qu'ils ont renoncé à l'amour, ou qu'ils aiment sans être aimés.

En ce qui concerne les rapports avec les idoles, nous constatons une augmentation notable de l'intérêt érotique. Les garçons ressentent une attirance sexuelle, certains rêvent d'une aventure. La plupart d'entre eux, toutefois, font une distinction très nette entre le sentiment qu'ils éprouvent pour une fille « réelle » et celui que leur inspire la star. Même ceux qui manifestent de l'affection, de la tendresse, de l'amour pour la star ne s'abandonnent pas à des rêveries amoureuses. Ainsi Francesco, parlant de Madonna : « Je la suis depuis si longtemps... J'ai tout de suite aimé sa façon de chanter, de s'habiller, son comportement. Mais mon attachement pour elle a changé avec le temps. Aujourd'hui, je ressens de l'amitié, un peu d'amour de temps en temps quand je vois ses clips. Elle me plaît à tous les sens du terme. Parfois, je me dis que je voudrais l'avoir toute à moi. Je sais que c'est impossible. Donc, je ne quitterais pas ma petite amie. »

La distinction entre amour et attrait érotique est plus accentuée dans ce que dit Marco : « Kim Basinger me plaît bien. Elle est attirante, fascinante. Je voudrais la connaître. Bien sûr que j'irais avec elle si c'était possible, mais seulement pour une aventure, puis je retournerais à ma copine. »

Pour tous ces garçons, en tout cas, il ne fait pas de doute qu'il s'agit d'un rêve irréalisable, comme le dit cet admirateur de Kim Wilde : « J'éprouve de l'admiration. Elle me plaît parce qu'elle est pleine de vie, qu'elle se renouvelle sans cesse, qu'elle sait attirer l'attention. J'aimerais bien la connaître, mais je suis trop jeune. Elle m'enverrait promener! Je fais des rêves érotiques avec elle. L'avoir pour moi? Ah, ça, oui! Pourtant, je sais que c'est un rêve interdit.»

Le garçon de quinze ans sait déjà que la magnifique actrice ou la chanteuse célèbre ne sont pas, ne seront peut-être jamais pour lui. Elles sont la propriété inaccessible d'autres que lui. Cette lucidité l'empêche de rêver d'amour. Une seule chose reste possible: le fantasme sexuel. Sa star préférée est une belle femme, et il peut s'exciter devant son image comme devant n'importe quelle autre image de femme. Les garçons de cet âge sont avides d'images de nus féminins. Ils les recherchent fébrilement dans la presse masculine, quelquefois dans une revue pornographique qu'ils sont parvenus à se procurer. Ils sont irrésistiblement attirés par les poitrines, les fesses, les poses provocantes, les représentations de l'acte sexuel.

A part quelques exceptions, les garçons n'aiment pas, n'adorent pas, n'éprouvent pas de désirs violents pour leurs idoles. Leur désir d'amour, quand il se manifeste, va vers quelque compagne de la vie réelle. Mais celle-ci, dans la plupart des cas, ne leur prête pas attention, ne voit pas en eux des objets d'un intérêt érotique durable. Les filles, à cet âge-là, visent beaucoup plus haut.

*

Presque toutes les filles de quinze ans ont déjà connu des expériences amoureuses plus ou moins intenses, plus ou moins brèves. Et au cours de cette enquête, la plupart d'entre elles se déclarent amoureuses. Elles se sentent parcourues de frissons, de violents élans passionnels. Ce sont comme des fièvres qui les secouent, qui les épuisent, et auxquelles elles s'abandonnent. Tous les contes qu'on leur a lus au cours de leur enfance, tous les films qu'elles ont vus, tous les spectacles télévisés, les feuilletons, les séries, toutes les histoires d'amour et de passion viennent forcer les portes de leur imagination, demandent à devenir réelles.

Cette violente pulsion amoureuse s'oriente dans deux directions : les garçons « réels » qui les entourent, et les stars.

Presque toutes les filles de notre échantillon ont un petit ami, généralement plus âgé qu'elles, qu'elles disent aimer et dont elles se sentent aimées. A la différence des garçons du même âge, elles éprouvent du plaisir et de l'orgueil à savoir que quelqu'un les attend, vient les chercher, les admire et les aime. Elles sont ainsi plus sûres d'elles-mêmes et, vis-à-vis des garçons de leur classe, se sentent nettement supérieures. Leurs aspirations sont plus hautes, leurs buts plus ambitieux.

C'est ce qui apparaît clairement lorsqu'elles parlent de leurs idoles. En tête de celles-ci viennent Tom Cruise, Michael Jackson, Anthony Delon, Mickey Rourke, Vasco Rossi et quelques champions de football. Le rapport qu'elles entretiennent avec eux n'est pas une sorte d'admiration rêveuse, comme chez les garçons. C'est un amour intense, torride, qui dure parfois depuis plusieurs années, construit sur des imaginations concrètes, des rêves éveillés. Soixante-dix pour cent des filles de quinze ans rêvent de rencontrer leur héros, de travailler avec lui, l'imaginent tombant amoureux d'elles et les épousant. Elles parlent de lui avec enthousiasme, décrivent son aspect physique, les traits de son caractère comme si elles le connaissaient personnellement. Leur façon d'en parler est souvent touchante.

Écoutons, par exemple, cette gamine amoureuse de John Travolta : « Je voudrais le connaître, quand je le vois, j'éprouve une excitation intérieure, je me sens exubérante. Tout a commencé quand je l'ai vu dans *Grease*. J'ai aimé ses façons, son sourire. Et quand je lis ses interviews dans *Ciak*, il me plaît encore plus. J'aime sa façon de s'exprimer, ses idées. Par exemple, quand il a joué dans *Senti chi parla* on lui a posé des questions sur la drogue. Il n'a pas cherché à cacher la vérité, comme le font les autres acteurs. Il a admis qu'il en avait pris pour danser, puis qu'il avait compris son erreur. Il était sincère ! Quand mes amis le critiquent, je le défends ! »

Une autre, à propos de Vasco Rossi : « J'aime sa musique, ses chansons veulent dire quelque chose. Il est incroyablement sympathique, il connaît la vie. Ce que je ressens pour Vasco, c'est de l'amour. J'ai assisté à l'un de ses concerts, je l'ai vu, je me suis approchée de lui. Mais je ne peux le toucher que sur le poster de lui que j'ai dans ma chambre. L'an passé, j'ai lu un article de journal qui parlait de lui et d'une fille, une certaine Laura. J'ai détesté cette fille. S'il n'était pas célèbre, il me plairait tout autant. Il me suffit d'entendre sa musique. Je sais tout de Vasco. J'avais dix ans lorsque j'ai commencé à l'aimer, et je n'ai jamais cessé depuis. »

Une troisième rêve de Tom Cruise : « Quand le film *Top Gun* est sorti, j'ai couvert ma chambre de posters et je les y ai laissés jusqu'à l'année dernière. Puis je me suis dit : ça ne sert à rien ! Pourtant, chaque fois que je vois ses films, je continue à m'imaginer que c'est moi l'actrice qui lui donne la réplique. Tom Cruise est beau, sympathique, j'aime les personnages qu'il interprète. Je voudrais faire sa connaissance pour savoir s'il est vraiment comme ça. Je suis certaine que c'est un type bien. Quand il accepte de jouer un rôle, ce n'est pas pour l'argent, mais parce qu'il le sent proche de lui. »

On pourrait croire que cet intérêt pour les stars est lié au manque d'un amour réel, ou à une frustration. C'est ce qui se passe chez les garçons. Les quelques adolescents de quinze ans réellement épris de leur star préférée que nous avons rencontrés n'avaient pas la moindre petite amie, ou étaient en proie à la frustration. Chez les filles, au contraire, on ne trouve aucun rapport entre frustration amoureuse et amour pour une star. Nous sommes ici en face d'un fait nouveau : chez elles peuvent coexister les deux formes d'amour, celui qu'elles portent à la personne en chair et en os qui fait partie de leur entourage, et celui qu'elles vouent à leur lointaine idole. En voici un exemple typique : « Mon premier amour, raconte Mariangela, je l'ai rencontré dans la cour d'une amie. Il était maçon. J'ai été aussitôt folle de lui. Dès que je le voyais, j'étais bouleversée, je sentais mes jambes trembler. J'allais là-bas pour le regarder travailler. Je pensais à lui tout le temps, je lui écrivais de petits mots : Je t'aime, je t'aime, Paolo ! Mais il était fiancé, et j'ai dû me contenter de son amitié. Puis je suis tombée amoureuse d'un camarade du lycée. J'ai fait sa connaissance dans le tram — un vrai coup de foudre. J'en suis encore amoureuse, je continue à penser à lui. »

«Parmi les acteurs, c'est surtout Tom Cruise qui me plaît. J'aime ses yeux. Il est grand, très bien physiquement. Mon amour pour lui dure depuis trois ans. C'est dans le film *Top Gun* que je l'ai vu pour la première fois, et il m'a emballée. Quand je le vois, je me sens submergée par l'émotion, toute retournée. Les sentiments que j'éprouve pour lui sont différents. Les garçons, je les vois en chair et en os, je leur parle. Avec Tom, je suis émue, mais pas comme avec mon petit ami. J'ai tout de suite les mains moites. Si je devais choisir, mince, c'est Tom que je choisirais! Bien sûr, que je partirais avec lui!»

Rita, qui a Vasco Rossi pour idole, est par ailleurs amoureuse, et fiancée : «Ça s'est passé l'été dernier. On était plus ou moins copains, puis on a commencé à se voir de plus en plus souvent. On passait des journées entières ensemble. Je suis tombée amoureuse, et j'aime tout de lui, jusqu'à ses moindres bêtises. Le voir, pour moi, c'est une joie immense. J'ai tout le temps envie de le serrer dans mes bras, de l'écouter. Quand je ne le vois pas, je vais mal.» Et tout de suite après, c'est la déclaration d'amour pour Vasco Rossi : «Ce sont des amours différents, dit-elle, radieuse. Mais ce que j'éprouve pour Vasco est bien de l'amour. Pour lui, je suis prête à tout. J'aime mon copain, mais pour Vasco, c'est encore plus fort.»

Chez Rita, comme chez beaucoup d'adolescentes, se manifeste une double pulsion. D'un côté, l'élan qui la pousse vers un garçon concret, qui fait partie de son entourage, à qui elle réserve son amour ; de l'autre, une tension vers quelque chose de plus élevé, vers l'idéal, qui s'incarne dans une star de cinéma. Les chambres de ces filles sont couvertes de posters représentant ces personnages, leurs cahiers d'écolières bourrés de photographies qu'elles découpent dans des magazines pour adolescents comme *Cioè* et *Teen*. Des magazines dans lesquels elles lisent avec avidité tout ce qui concerne leurs idoles.

Contrairement à l'opinion courante, les garçons de cet âge aspirent à un rapport tendre et durable. Ce sont les filles qui changent, qui cherchent, qui explorent, en proie au trouble et à l'inquiétude. Les garçons distinguent claire- ment la fille à laquelle ils font la cour et à qui ils dérobent quelques baisers de la star de cinéma. Ils aiment la première sincèrement et veulent la rendre heureuse, tandis qu'ils admirent la star pour son talent et la désirent pour sa beauté. Mais ils ne l'aiment pas, ni ne souhaitent être aimés d'elle.

Les filles de cet âge, au contraire, semblent toujours prêtes à s'envoler à la poursuite d'un idéal plus élevé. Leur amour et leur érotisme débordants cherchent sans cesse un objet plus parfait, plus complet. Et elles l'entrevoient toujours chez un acteur, un chanteur, un héros.

Elles fantasment sur lui, rêvent de le rencontrer, d'être aimées de lui. Si elles avaient la possibilité de choisir, si cet amant idéal se manifestait pour de bon et les appelait, il ne fait aucun doute qu'elles courraient vers lui, prêtes à tout. Et les stars constituent ainsi les plus réels, les plus profonds objets de leur désir amoureux. Parce qu'elles sont plus que tous les autres à la hauteur de leurs véritables aspirations, de leurs espérances les plus profondes. Et ceci depuis leur tendre enfance. Les gamins qu'elles voient autour d'elles n'en sont, la plupart du temps, que les pâles succédanés.

L'inquiétude naît chez les filles parce qu'elles ne parviennent pas à trouver l'amant idéal dont elles rêvent et qu'elles espèrent. Au fond de leur cœur, elles attendent Tom Cruise, Vasco Rossi, Michael Jackson, Simon Le Bon, et il leur faut se contenter de Piero, Giovanni, Andrea.

3. *Les garçons de dix-huit ans*

Par rapport aux garçons de quinze ans, on constate chez ceux de dix-huit ans un éveil amoureux dont l'intensité ne cesse de croître. Et simultanément, l'amour pour les stars diminue jusqu'à disparaître complètement. Non, ces jeunes hommes ne parviennent pas à aimer les femmes belles et célèbres que leur proposent les médias. Et lorsqu'on les invite à dire laquelle ils choisiraient, entre une fille de leur entourage et une star, ils optent sans hésitation pour la première, même quand ils ne sont pas amoureux, et même quand ils souffrent d'un amour non partagé.

Nombre d'entre eux, comme nous l'avons déjà noté chez les garçons de treize et quinze ans, gardent les traces d'une ancienne frustration et, au moment de l'interview, n'ont pas la moindre petite amie. Écoutons Marco : « Je l'ai connue à mon travail, et j'ai tout de suite ressenti pour elle une attirance à la fois physique et sentimentale. Quand je la voyais, j'étais heureux. Mais c'est fini entre nous, parce qu'elle voulait changer souvent, sortir avec d'autres garçons. » Et Mario : « J'étais persuadé d'avoir trouvé en elle la fille idéale, je voulais la rendre heureuse, je ressentais quelque chose que je n'avais jamais ressenti auparavant. Puis elle a changé, elle s'est mise à fréquenter d'autres garçons — elle me trompait. » Dans d'autres cas, la fille est partie : « Elle me plaisait parce qu'elle était calme, sérieuse, avec un joli minois plein de douceur. Elle avait de grands yeux magnifiques. Ça a duré six mois. Je l'aimais très fort. Elle est partie à Rome. J'ai beaucoup souffert, puis, petit à petit, c'est passé. Mais il a fallu du temps. »

Il y a aussi des cas d'amour partagé, comme celui de ce garçon : « Je sens que je l'aime, que je veux la rendre heureuse, je ressens une grande joie quand je la vois, quand je suis avec elle. On discute beaucoup et on n'a pas de secrets l'un pour l'autre. J'aime son corps et sa personnalité : c'est quelqu'un de calme, qui sait prendre les choses et résoudre les problèmes avec sérénité. »

Si nous passons des dix-huit aux vingt ans, nous constatons que le nombre de garçons amoureux augmente et que, dans de nombreux cas, il s'agit bel et bien d'une passion. Écoutons l'histoire de Raffaele : « J'étais à la mer, en Sardaigne. Un soir que je me promenais avec des copains, j'ai été, comment dire, littéralement foudroyé en voyant une fille du coin. J'ai décidé de l'aborder, et nous sommes restés ensemble pendant deux mois, jusqu'à la fin de mes vacances. Elle me plaisait tellement que je voulais rester là-bas, en Sardaigne, et trouver du travail. Je voulais tout laisser tomber, mes études, mes amis, ma famille. Chaque fois que je la voyais — je sais bien que c'est ridicule — j'étais pris de douleurs au ventre, je tremblais de tout mon corps. Oui, je l'aime toujours. » Et Maurizio : « Je l'ai connue au cours d'un voyage en Calabre, où j'étais allé assister au mariage de l'un de mes professeurs. Un vrai coup de foudre. Au début, pourtant, elle ne répondait pas à mes avances, parce qu'elle me voyait comme un type de Milan à la recherche d'une aventure. Puis elle s'est rendu compte que mon attachement était sincère, elle l'a compris aux lettres que je ne cessais pas de lui écrire. Cette année, quand je suis retourné en Calabre, on s'est mis ensemble. Je tiens beaucoup à elle et je lui suis fidèle. Un jour, nous avons eu une dispute banale, et j'ai eu affreusement peur de la perdre. J'ai compris à quel point elle comptait pour moi. » Un autre, encore : « J'ai pour elle tant d'amour, un amour vrai, infini. Cette fille représente une partie de moi-même, sans elle je ne peux pas vivre. Je l'aime. » Et un autre : « La différence entre elle et les autres, c'est que je ne me lasse jamais de la regarder. Jamais. Vous comprenez ? Jamais. Plus le temps passe, et plus j'ai envie de rester auprès d'elle. »

C'est le genre de passion amoureuse que nous n'avons rencontré que chez les filles de quinze ans pour leur star favorite. Ici, la personne aimée, la fille de tous les jours, est littéralement transfigurée. Tout en elle se révèle étonnant, désirable. Elle est placée au-dessus de toutes les autres femmes. Il n'est actrice ni chanteuse, aussi belle et célèbre soit-elle, qui puisse lui faire de l'ombre, lui être préférée, la supplanter. Elle est l'unique, l'irremplaçable, celle qui ne ressemble à aucune autre. L'amour a fait d'elle une reine, une déesse.

*

Les filles de dix-huit ans font preuve d'une redoutable vitalité. Elles tombent amoureuses, prennent, quittent, s'exaltent, oublient. Et se montrent plutôt indifférentes à la souffrance et aux frustrations qu'elles sèment sur leur passage. Elles sont trop occupées à savourer les émotions qu'elles éprouvent et font naître pour prêter attention à ce que ressentent les autres. Leur énergie est dirigée vers l'exploration du monde, sa conquête émotive. Elles vivent la saison amoureuse commencée quelques années plus tôt avec ardeur et inquiétude. Leur discours exprime la confiance en soi, la détermination, l'engagement, mais il s'adoucit parfois, s'enrichit de tonalités émotives. En voici une qui raconte son coup de foudre : « Il était sur une belle moto, et je suis tombée amoureuse. » Certaines évoquent le plaisir de se sentir aimée : « Je l'aime bien, j'ai sans cesse besoin de lui, il me donne confiance en moi. Mais de nous deux, c'est lui le plus amoureux. » Une autre, après s'être laissé circonvenir, prend ses distances : « Au début, je n'éprouvais rien pour lui, puis j'ai eu beaucoup d'affection. J'ai l'affection facile. Comme on n'était jamais d'accord sur rien, on s'est quittés. » Une autre attend un amoureux lointain : « Il me manque tellement, il est carabinier et c'est un métier qui vous éloigne trop. J'ai tout le temps le cœur gros. » Une autre avoue ne plus rien éprouver pour son petit ami : « Il me plaisait tellement, c'était plus fort que moi. Il suffisait qu'il m'embrasse pour que je ne touche plus terre. Aujourd'hui, je ne sais pas pourquoi, il ne me plaît plus comme avant. Je finirai par le quitter.» Et celle-ci, enfin, la femme amoureuse : «J'éprouve tant d'amour pour lui, d'amour véritable! Il est tout pour moi : un ami, un frère, un fiancé. Maintenant je comprends : jusqu'ici je n'avais eu que des amourettes, mais cette fois, je suis amoureuse pour de bon.»

Et les stars, les idoles? La fille qui a parlé en dernier, l'amoureuse, s'en moque complètement. Pour les autres, elles sont importantes. Y compris pour celles qui déclarent aimer leur petit ami. «Oui, je l'aime, dit l'une d'elles. Cette semaine, je suis partie en randonnée, et je pensais tout le temps à lui. Quand nous sommes ensemble, je me sens pleine de vie, de joie. Quand il n'est pas là, je ressens comme un vide.» Cependant, elle aime aussi Christophe Lambert : «Lambert est fascinant, sensuel. Quand on est entre amies, on dit toutes, ah! qu'est-ce que je ne ferais pas pour lui! Bien sûr, ça me plairait de l'avoir pour compagnon dans la vie réelle. Quand je vois ses films, je m'identifie à l'actrice. Je rêve même d'avoir une aventure avec lui. Par exemple, un soir, je me saoule, il me rencontre et m'emmène chez lui. Si je le rencontrais pour de bon? Et qu'il me demandait de le suivre? Je serais tellement émue que je ne pourrais même

pas parler! Bien sûr que je me mettrais avec lui!
Bien sûr, même si je devais me retrouver
enceinte!»

Et cette autre adolescente, doucement amoureuse : «Quand je ne suis pas avec mon copain,
c'est comme s'il me manquait quelque chose. Je
l'aime beaucoup. Ça dure depuis deux ans, et
j'espère que ça continuera.» Elle a, elle aussi, un
faible pour Christophe Lambert : «Je le trouve
fascinant, bien qu'il ne soit pas très beau.
J'éprouve pour lui une attirance physique mêlée
à un peu d'amour. J'aime son regard, et son
corps. Je fantasme quand je vois ses films, mais
je mets à sa place un garçon idéal qui serait tout
à moi. Je m'imagine que je le touche et que je
l'embrasse, et toujours avec du sentiment. Mais
il y a aussi mon copain. Oh oui, je serais capable
de partir avec lui! Peut-être que nos personnalités s'opposeraient, et alors c'est lui que je
choisirais. Mon copain comprendrait.»

Il y a aussi celles qui vivent une histoire
d'amour passionnée. «Je tiens encore tellement
à lui, je souffre car j'interprète l'intérêt qu'il
éprouve pour moi et sa gentillesse comme des
signes d'amour, et je me fais peut-être des
illusions! Ce ne sont peut-être que des marques
d'amitié...» Puis elle se met à parler d'un joueur
de football célèbre, Paolo Maldini : «Je suis
amoureuse de Paolo! Quand je le vois, je deviens
folle, tout en lui me plaît : son visage et ses yeux

bleus. Quand j'entends de la musique douce, je m'imagine que je le rencontre et qu'il me fait : "Salut!" Puis nous devenons amis et il me propose de sortir avec lui. Je me vois aussi en train de l'embrasser, de le caresser. S'il me demandait de le suivre? Je n'y réfléchirais pas à deux fois, je partirais séance tenante!»

Quand elles parlent de l'idole, l'émotion fait trembler leur voix, leurs yeux se mettent à briller, leur visage s'empourpre, elles font des gestes incohérents. Tout leur comportement exprime leur désir érotique, leur excitation, leur rêve d'amour. L'idole incarne pour elles l'amour idéal, il représente la vie sociale et émotionnelle fabuleuse qu'elles ont toujours secrètement rêvé de connaître. L'idole est le moyen, le tremplin qui peut leur permettre d'accéder, comme par enchantement, à cette vie extraordinaire, excitante. Elles rejettent instinctivement le quotidien qu'ont connu leurs mères, et celui qu'elles vivent elles-mêmes. Et comme leurs regards et leurs esprits sont tournés vers cette existence idéale, elles ne perçoivent plus, la plupart du temps, la poésie qui existe pourtant dans ce quotidien, dans les gestes et les regards des garçons qui les aiment.

3

Le vol nuptial

1. Les idoles

Que signifie la différence que nous avons constatée entre les filles et les garçons? Que signifie, en particulier, le fait de tomber amoureux d'une idole? Compte tenu de ce que nous avons dit, il va falloir nous résoudre à réfuter sans plus tarder l'une de nos hypothèses de départ, à savoir que l'amour porté à une idole serait une rêverie compensatrice, un moyen d'échapper à une réalité douloureuse et insupportable — comme le fait l'héroïne de Woody Allen dans *La Rose pourpre du Caire*.

Car nos adolescentes ne sont pas des femmes frustrées, déçues, avilies. Elles sont débordantes de vie. Il y a en elles une énergie érotique débordante lancée à la recherche d'un objet qui la satisfasse. Cette énergie ne parvient pas à se reconnaître pleinement dans leurs camarades du même âge ou dans les garçons qu'elles rencontrent dans la vie réelle. Elles aspirent à quelque chose de plus élevé et le trouvent souvent dans ces personnages qu'elles ne connaissent qu'à travers les médias : acteurs, chanteurs, vedettes de la télévision, célébrités admirées par les foules, souvent richissimes, inaccessibles. Nous les avons désignés collectivement sous le nom d'idoles.

Edgar Morin, dans les années soixante, a étudié longuement ces idoles que sont les vedettes de l'écran et a montré qu'elles ne constituent pas seulement des objets d'admiration et d'identification, mais sont également aimées, adorées, parfois de façon rituelle, à travers un véritable culte[1]. Quelques années plus tard, j'ai montré que ces personnages célèbres, et d'autres, sont l'objet d'un commérage collectif dans une société formée de dizaines, voire de centaines de millions d'individus, et unifiée par les médias. Ils se font connaître et deviennent célèbres grâce au cinéma et à la télévision, mais ce sont ensuite les magazines, et surtout la presse féminine, qui passent au crible leur vie privée, les montrent chez eux, en vacances, parlent de leurs maris, de leurs femmes, de leurs amours, de leurs amants et de leurs maîtresses[2].

---

1. Edgar Morin, *Les Stars*.
2. Francesco Alberoni, *L'Elite senza potere*, Bompiani, 1973.

Les recherches menées par la suite m'ont convaincu que le commérage collectif sur les idoles est à peu près exclusivement féminin. Il ne m'était pourtant pas venu à l'esprit qu'il pût être fondé sur d'authentiques fantasmes érotico-amoureux. Je me suis, bien entendu, interrogé : pourquoi les femmes, et les femmes seulement, manifestent-elles une telle curiosité pour la vie érotique des idoles ? Je l'ai expliqué par leur intérêt marqué pour la vie privée en général, dans la mesure où celle-ci est, traditionnellement, centrée sur la famille, sur les enfants, sur un univers affectif. Sans oublier les effets d'une longue tradition d'isolement. Quelque chose, donc, qui était appelé à disparaître dans un certain nombre d'années, et sur quoi il eût été de mauvais goût d'insister. Puis, en étudiant les idoles, j'ai rencontré l'énorme phénomène d'excitation collective suscité par les stars du rock. Et là aussi, un examen attentif et libre de tout préjugé montrait que le succès colossal d'Elvis Presley était dû essentiellement à l'engouement des adolescentes. Elles constituaient la quasi-totalité du public de ses concerts, c'étaient elles les plus exigeantes, elles se précipitaient avant tout le monde pour acheter des billets, l'accueillaient avec une tempête de hurlements, poussaient des cris stridents, pleuraient, arrachaient leurs vêtements, entraient en transe.

Là encore, j'ai hésité à tirer de ces observations une conclusion générale. Le phénomène pouvait provenir de ce que, pendant fort longtemps, les adolescentes avaient été inhibées, réprimées dans leurs élans, et qu'elles pouvaient pour la première fois exprimer leur excitation érotico-musicale. Plus de trente ans se sont écoulés depuis, de nombreux changements se sont produits dans la société, et le comportement à l'égard des chanteurs ne s'est en rien modifié.

Pas plus qu'il ne s'est modifié envers les stars de l'écran. Relisons, par curiosité, ce qu'écrivaient deux admiratrices citées par Edgar Morin dans son ouvrage : « Pendant toute mon adolescence, je n'ai cessé de tomber amoureuse des stars. Et chaque fois, je souffrais atrocement : j'aurais voulu aimer et être aimée en retour. Cela pouvait durer plusieurs jours, plusieurs semaines ou plusieurs mois. Et chaque fois que je revois mes idoles, la blessure s'ouvre à nouveau. Personne ne peut imaginer à quel point j'étais malheureuse. Aujourd'hui encore, il m'arrive de rompre des liens affectifs par nostalgie d'autre chose ; de quelque chose qui reste fondé sur ma première idée de l'amour[1]. » Autre exemple : « Tyrone Power était mon idole et j'allais voir quatre ou cinq fois chacun de ses films. Quand il embrassait sa partenaire, je sentais un étrange

---

1. Edgar Morin, *Les Stars*.

frisson me parcourir la nuque. Quelquefois, au cours de rêves qui me semblaient très réalistes, je le sentais m'embrasser[1].» Des expériences de ce type ne sont pas différentes de celles que nous ont racontées nos adolescentes. Seul le personnage a changé. Tom Cruise a remplacé Tyrone Power.

Ce type d'amour à distance peut aussi bien s'appliquer à une personnalité politique, généralement un chef charismatique. En une année, plus de mille lettres d'adolescentes sont arrivées à la rédaction de la *Komsomolskaja Pravda*, la revue de la jeunesse communiste d'URSS. Elles étaient pleines de déclarations d'amour pour les acteurs et les chanteurs, mais aussi pour les hommes politiques, à commencer par Eltsine et Gorbatchev. «Cher Mickael, écrivait l'une d'elles, j'ai seize ans et je veux devenir ta femme.» Et une autre : «Je suis amoureuse, mais c'est sans espoir, du camarade Elstin. Je comprends qu'il est impossible à joindre, et qu'il y a entre nous une différence de plus de quarante ans, écrit Moldava Paulina, mais je n'ai pas de petit ami, de crainte de le trahir. Quand je le vois à la télévision, j'embrasse l'écran et je pleure car je sais qu'il ne tardera pas à disparaître et que, pendant que je souffre devant mon poste de

---

1. *Id.*

télévision, il est avec sa femme. Comme je suis malheureuse[1] ! »

Qu'ont donc en commun Rudolph Valentino, Tyrone Power, Vasco Rossi, Boris Eltsine, Elvis Presley et Mickael Gorbatchev aux yeux des adolescentes qui s'éprennent d'eux ? Ce sont tous des personnages importants, des guides, des leaders admirés par tous les membres de leur communauté. Avant la perestroïka, les adolescentes russes n'écrivaient pas de lettres d'amour à Brejnev ou à Ligatchev, parce qu'elles les sentaient étrangers, extérieurs à leur univers. Eltsine et Gorbatchev, au contraire, sont des chefs charismatiques qui ont franchi toutes les barrières des générations. Ils sont le point de référence de toute une société, jeunes y compris.

L'Occident, aujourd'hui, n'a pas de leaders de ce type. Il s'est peut-être passé quelque chose de semblable aux États-Unis avec des hommes comme Franklin Delano Roosevelt et John Fitzgerald Kennedy. Et en Europe, avec les grands dictateurs charismatiques que furent Lénine, Mussolini, Staline et Hitler. Mais dans les démocraties, les adolescentes ne sont fascinées que par les stars de la scène, du cinéma, de la télévision et, depuis une trentaine d'années, par les chanteurs de rock.

Pour autant, celui dont les filles tombent

---

1. Cf. *La Stampa*, 15 juillet 1991.

amoureuses, qu'elles veulent voir, toucher, caresser, embrasser, épouser, n'est pas seulement un chanteur ou un acteur. C'est un homme placé au centre d'une collectivité. Un chef, et un guide. Celui que tous admirent et adorent. Celui que tous désignent du doigt, choisissent, sélectionnent — l'élu de la multitude.

C'est vers ce type d'individus que s'oriente, immanquablement, l'intérêt érotique et amoureux féminin au moment où il s'éveille. C'est vers celui que l'ensemble de la communauté désigne comme le meilleur, le plus désirable. Les yeux de l'adolescente se tournent vers celui sur qui tous les regards sont braqués, son cœur s'embrase au désir de la multitude. C'est la collectivité tout entière qui le lui montre du doigt comme un objet digne d'admiration, que toutes les autres femmes lui désignent comme un objet érotique, quelqu'un à aimer. Ce choix ne procède pas d'une décision autonome, il lui est dicté par la communauté.

Cet homme, que les forces sociales ont mis sur un piédestal, exerce sur l'adolescente un attrait tout à la fois sexuel et affectif. Il lui semble beau, plus que beau, divin. Il lui suffirait d'être auprès de lui, de pouvoir le contempler pour se sentir heureuse. Elle l'aime, elle veut son bonheur. Elle est prête à se dévouer pour lui, à faire tout ce qu'il lui demandera, comme une esclave.

Dans tous les mouvements politiques, sociaux ou religieux, dans tous les cultes, dans toutes les sectes, le chef charismatique, le leader, l'apôtre, le gourou, le prophète est toujours entouré d'un groupe de femmes en adoration, affamées de contact, d'amour, de sexualité. C'est parmi celles-ci que le leader choisit sa favorite, mais ce choix ne dissuade pas les autres de se garder disponibles pour lui. Et le plus curieux, c'est que les disciples mâles du mouvement, les époux, les fiancés, les frères de ces femmes-là ne manifestent nulle jalousie à son égard, les lui cèdent sans résistance et sont fiers de les récupérer le jour où il les abandonne. Des processus de ce type ont existé dans le plus lointain passé, mais ils ont fait une réapparition ponctuelle au sein de mouvements de masse plus récents dans les pays occidentaux. Dans le mouvement hippie, par exemple, ou dans les mouvements étudiants, syndicaux, religieux et, enfin, nationaux[1].

Ce type d'attraction apparaît aussi dans les mouvements au sein desquels il est interdit au chef d'avoir des rapports sexuels avec ses disciples. Le mouvement catholique, par exemple, qui impose à ses prêtres une obligation de célibat et de chasteté. Dans ce cas, l'extraordinaire disponibilité amoureuse des femmes se désexua-

---

1. Cf. Francesco Alberoni, *L'Érotisme,* chapitre sur la promiscuité sociale.

lise et se sublime en amour spirituel et en dévouement profond. Les épouses potentielles deviennent de saintes femmes qui, en faisant le don de leur vie au chef, en se dépensant sans compter pour lui, toujours prêtes, toujours fidèles, l'aident à réaliser son œuvre.

Le rapport que nous étudions ici est donc de nature collective, c'est l'une des modalités caractéristiques du charisme, l'une des formes que prend la relation entre le chef charismatique et ses disciples. Ce rapport revêt aussi un aspect érotique — disponibilité érotique, aspiration érotique. L'amour pour le chef, quand son disciple est une femme, peut prendre la forme d'un amour à distance, d'une passion amoureuse qui cherche à se rapprocher le plus possible de son objet, à se fondre en lui.

Tous les pouvoirs, pourtant, ne produisent pas cet effet. Il existe des pouvoirs froids, répulsifs sur le plan érotique. C'est le cas du pouvoir formel à l'intérieur d'une entreprise, du pouvoir bureaucratique du fonctionnaire, ou du magistrat. La femme le subit et le craint, elle ne l'aime pas et, même, le méprise plus ou moins. Son cœur s'emballe, au contraire, pour le pouvoir fondé sur l'émotion et sur la foi, sur l'intention noble et héroïque : le pouvoir charismatique sous toutes ses formes, y compris les plus violentes et les plus antisociales.

Mais le mouvement se transforme en institu-

n et celle-ci conserve, dans ses symboles, ses
nifiants originels. Le charisme s'institution-
nalise, et l'institution charismatique sait encore
évoquer les émotions sublimes et les passions
sacrées. Quand le roi apparaît, coiffé de sa
couronne et revêtu du manteau royal, quand
s'avance le pontife dans ses sacrés atours, ils font
resurgir les figures des souverains charismatiques qui avaient le pouvoir de guérir les malades
par l'imposition des mains — et il suffit parfois
de leur seule présence. Dans ces pouvoirs insti-
tutionnalisés mais encore vibrants d'émotion,
l'érotisme féminin se reconnaît pleinement.

L'érotisme féminin s'est toujours tourné vers
les deux formes de charisme. Le charisme à l'état
naissant, révolutionnaire, qui subvertit les institutions et se présente sous les traits du guerrier,
du bandit, du héros; Ariane trahit son père —
le roi —, sa famille, son peuple pour aider
Thésée l'aventurier, l'envahisseur, à tuer le
Minotaure, puis elle s'enfuit avec lui. De même
Médée, qui n'hésite pas à tuer ses frères afin que
Jason puisse dérober le bien le plus précieux de
sa communauté : la Toison d'or. Puis il y a le
charisme institutionnel, consolidé, installé sur
son trône. C'est Cléopâtre, qui s'éprend d'abord
de César, puis d'Antoine. Elle tombe amoureuse
des artifices de l'expansion de Rome, de leur
puissance créatrice. Cléopâtre tombe amoureuse
de «l'esprit du monde».

Il existe, à notre époque, un charisme spécifique des grands acteurs, des grands chanteurs et musiciens. La musique, les paroles, le rythme de leurs chansons font naître un magma d'émotions qui trouble les adolescentes. Ils leur font prendre conscience des désirs qu'elles ressentent, leur permettent d'en parler et leur indiquent le moyen de les satisfaire. C'est pourquoi elles se mettent à crier et à vibrer de tout leur corps aux concerts. Parce que leur est ainsi révélé, par une sorte d'illumination, quelque chose de trouble qui se cachait au fond d'elles-mêmes et qui n'avait pas de non. Elles perçoivent ainsi, de façon primaire, les raisons de vivre, l'importance d'être nées, le plaisir d'être jeunes, le stupéfiant mystère de la passion qui s'empare d'elles et les bouleverse. Les chanteurs sont les divinités de l'émotion, ils apportent la lumière, le sens, les valeurs. Ils sont les officiants de célébrations liturgiques. Les prêtres de l'initiation.

2. Le vol nuptial

Nous voici en présence de processus collectifs. Les idoles sont au centre de la collectivité dont notre adolescente a conscience de faire partie. Derrière tout phénomène charismatique ou idolâtre se trouve un *nous,* une communauté qui se reconnaît dans son chef, dans la personne que tous admirent et qui fait l'objet de toutes les conversations. Mieux, il existe une multitude de communautés de différentes dimensions : locales, régionales, nationales, internationales, mondiales. Certains acteurs ou chanteurs ne sont célèbres et aimés que d'une ville, ou d'un pays, et restent inconnus au-delà. D'autres, au contraire, sont, à travers les moyens de communication de masse, un point de référence pour le monde entier.

Ces communautés sont incluses les unes dans les autres, mais on trouvera des individus qui se reconnaissent plutôt dans la communauté locale, dans la cité, et d'autres qui s'intéressent et s'identifient immédiatement à des personnages universellement connus et adulés. C'est le cas pour un certain nombre de garçons et de filles que nous avons interrogés. Ils se sentent plus proches de Madonna ou de Tom Cruise que de tel champion sportif local ou de tel animateur de la plus proche station de télévision.

Grande ou petite, voire minuscule et formée d'une bande d'adolescents comme dans le film *Grease* ou dans la communauté hippie ou punk, chaque communauté a toujours un centre. Et c'est vers ce centre que s'oriente l'érotisme des adolescentes : vers celui qui émerge, celui qui a une valeur. Dans notre échantillon, les adolescentes ne se limitent pas à la communauté locale, au petit champion sportif ou au chef de bande de quartier. Elles s'élancent vers l'extérieur, vers la communauté la plus vaste, la nation, le monde. C'est un mouvement vers l'universel. Elles cherchent ce qui, à ce moment de l'histoire, existe de meilleur au sens absolu du terme, c'est-à-dire ce qui incarne l'idéal.

A première vue, ce comportement peut paraître infantile, pathétique, ingénu. Il est en réalité le signe d'une extraordinaire vitalité, d'un extraordinaire courage. En relisant les entretiens, nous découvrons que ces jeunes filles ont étudié à fond le personnage dont elles sont éprises. Elles ont vu tous ses films, écouté toutes ses chansons, lu tous ses interviews. Elles se sont penchées sur son aspect, sur sa personnalité, sur sa mentalité. Elles n'ont pas formulé un jugement moral. Il ne s'agit pas chez elles d'un caprice, mais d'un choix, de l'élaboration d'un modèle idéal d'homme et d'existence. Elles tournent leurs regards vers le haut parce que leur âme aspire à une perfection et qu'elles sont prêtes à se battre pour y accéder. Si elles ne peuvent atteindre ces êtres universellement adulés, leur désir reflue vers des individus plus proches, plus accessibles, mais en qui elles voient la même qualité. Et il s'agit toujours d'un individu qui occupe le centre de la communauté. Qui est admiré, apprécié par ses semblables, désiré par les autres jeunes filles de son entourage. Il peut s'agir d'un homme connu pour sa beauté, ou bien parce qu'il est le plus fort au tennis, ou parce qu'il possède une Ferrari rouge vif. Ou encore, plus simplement, parce qu'il est amusant, parce qu'il sait faire rire et que tous le connaissent, se retournent sur son passage. Ce qui suscite les désirs de tous, qui convergent vers lui comme les rayons du soleil sur le foyer d'une lentille.

La jeune fille est attirée par ce que les autres lui indiquent, mais elle ne se contente pas de cette indication de valeur. Elle a besoin de connaître, d'approfondir, de juger. Du plus profond d'elle-même, elle est toujours en quête d'un idéal.

Dans *Cendrillon*, l'idéal apparaît sous les traits d'un prince. Le prince rassemble sur lui toutes les vertus. Il est beau, il est jeune, il est aimable, il sait reconnaître et aimer la beauté. Toutes les filles du royaume veulent l'approcher, se faire admirer de lui, se faire aimer et, comme but suprême, se faire épouser. Elles sont toutes des épouses potentielles. La décision ne dépend pas d'elles, mais de lui seul. Elles sont disponibles, prêtes, lancées à sa conquête. Et Cendrillon est comme les autres. Seule l'empêche d'agir la volonté de sa belle-mère et de ses sœurs. Elle aussi désire aller au bal, elle aussi rêve que le prince la prenne dans ses bras, et qu'il l'aime. Elle n'est que la concurrente la plus désavantagée, celle à qui l'on permet le moins de rêver, d'espérer. Le conte n'en suggère pas moins qu'il ne faut jamais renoncer puisque c'est Cendrillon, la plus misérable de toutes, qui finit par gagner.

L'érotisme féminin prend son essor à l'occasion d'un grand vol nuptial auquel toutes sont invitées à participer et qui a pour enjeu l'objet suprême du désir collectif. Cela nous fait penser au vol nuptial des abeilles qui voit tous les bourdons s'élancer ensemble à la poursuite de la reine. L'un après l'autre, ils vont perdre du terrain et se laisser distancer jusqu'à ce qu'un seul, finalement, la rattrape et la féconde. A ceci près que là, ce sont les femelles, et non les mâles, qui accomplissent le grand vol nuptial vers l'objet érotique de toute la communauté. Mais là aussi, seul un petit nombre d'entre elles parviendra à l'approcher, et une seule sera élue et aimée. Les autres devront chercher un objet de substitution, un remplaçant.

Dans une société humaine extraordinairement diverse et complexe, l'objet du désir érotique n'est pas unique et universel. Il en existe d'innombrables, de différents types et n'occupant pas tous le même rang. Les jeunes femelles s'envolent donc plusieurs fois et, quand elles ne parviennent pas à rattraper celui qui excelle dans un secteur donné, ont la possibilité de reporter leur attention sur un autre. Si elles ne parviennent pas à rejoindre celui qui est le plus haut placé et le plus convoité, elles peuvent se rabattre sur un champion de catégorie inférieure. Il s'agit toujours de quelqu'un qui s'est élevé au-dessus du commun, ne fût-ce que de quelques mètres, quelqu'un qui s'est placé, ne fût-ce qu'un instant, au centre de leur communauté, et a prouvé sa valeur. Toutes les sociétés humaines pratiquent des rites de séduction par lesquels les hommes doivent donner quelque preuve d'excellence. Ou, pour le moins, d'adresse, de courage. Ils doivent arracher un cri d'admiration, une acclamation ; sortir de l'anonymat, rompre avec le quotidien, avec sa routine amorphe et opaque, avec la grisaille dans laquelle finit par se perdre le sens de l'existence.

Quelques metteurs en scène de cinéma ont su rendre cette expérience féminine de la perte du sens, de la perception de l'inutilité de la vie. Et parfois de l'inutilité qu'il peut y avoir à vivre en couple s'il n'y a pas de valeur, s'il ne se passe rien d'extraordinaire. Car c'est bien à l'extraordinaire qu'aspire ardemment la femme, c'est bien pour cette évasion hors du quotidien qu'elle lutte dans ses rêves comme dans la réalité. Dans l'un de ses films, Gina Lollobrigida joue le rôle d'une femme superbe qui a épousé un jeune physicien pour faire plaisir à sa mère et à sa famille, mais qui ne comprend pas son mari et ne l'aime pas. Elle se sent dépréciée par cette union avec un homme si peu brillant, si peu mondain. Jusqu'au jour où dans un restaurant, au cours d'un voyage en Suisse, elle voit une jeune fille aborder son mari pour lui demander un autographe. C'est une étudiante qui a reconnu en lui le jeune chercheur dont tout le monde parle à l'université. L'épouse est d'abord stupéfaite, puis fascinée. Dès l'instant où elle découvre en lui un homme admiré, désiré, elle tombe — enfin — amoureuse de lui.

Un autre exemple nous est fourni par le film *Reds*. Deux journalistes américains sont en Russie pour couvrir la Révolution, pour laquelle ils éprouvent de la sympathie. Ils s'aimaient avant d'y arriver, mais la femme a rompu cette relation. Bien qu'ils continuent à travailler ensemble et à partager le même idéal, elle reste froide. Jusqu'au jour où il se lance dans un discours enflammé devant une foule de travailleurs révolutionnaires qui lui font une ovation et le portent en triomphe. A cet instant précis, elle se reprend à l'aimer et à le désirer.

Aux yeux d'un spectateur distrait, ces deux héroïnes pourraient apparaître comme des arrivistes uniquement intéressées par le pouvoir, la richesse ou la réussite. Et ce n'est pas entièrement faux. Mais seulement dans la mesure où le pouvoir, la richesse et la réussite expriment une force vitale, où ils sont autant de moyens d'accéder à une vie extraordinaire, enthousiasmante, tournée vers la nouveauté et porteuse d'événements exceptionnels, excitants ; de percevoir des vibrations physiques autant qu'intellectuelles. Car ce ne sont pas le pouvoir, la richesse et la réussite en eux-mêmes que veut la femme, mais ce qu'ils lui apportent. Et dès l'instant qu'ils ne lui apportent plus ces vibrations, ces émotions, ils cessent de l'intéresser. Il y a des femmes qui s'ennuient au milieu de toutes leurs richesses et recherchent des hommes pauvres capables de leur donner des émotions, de recréer pour elles l'extraordinaire. A la sécurité du pouvoir, elles préféreront des aventuriers, des hommes qui jouent avec leur vie, qui la risquent chaque jour.

3. *Distance et exclusivité*

Il existe dans tous les phénomènes collectifs une asymétrie entre le chef et ses disciples. Le chef est unique, admiré de tous, aimé de tous. Les hommes éprouvent pour un chef charismatique un amour désexualisé qui relève de l'estime et de l'amitié. Chez les femmes, cet amour sera plus facilement de nature érotique, il peut se transformer en désir de contact physique, de baisers, de sexualité. Mais le chef n'aime ni n'admire individuellement ses disciples. Il les aime anonymement, en tant que collectivité. Alors que chaque disciple, au contraire, aspire à être connu et aimé de lui en tant que personne distincte, unique, irremplaçable.

Les gens s'agglutinent et font la haie au passage du leader, ils veulent le contempler de près. Le femme veut le toucher, être touchée par lui. Elle veut qu'il la regarde. Chaque fois qu'elle l'approche, qu'elle lui adresse la parole, elle espère vaguement qu'il la remarquera et se souviendra d'elle en tant qu'individu distinct de tous les autres, et qu'elle laissera en lui la trace indélébile d'une émotion érotique.

Quand la distance est grande, l'amour se contente de peu. Ce peut être une photographie dédicacée éditée à des millions d'exemplaires par la maison de production cinématographique ou discographique et systématiquement envoyée en réponse à toutes les lettres enflammées qui arrivent au nom de l'idole.

Entre la photo dédicacée et l'amour unique, exclusif, monogamique existent tous les stades intermédiaires, et chaque fois, la jeune femme amoureuse de l'idole devra s'en contenter. Mais elle désire toujours quelque chose de plus. On peut dire, ainsi, que chaque fois qu'elle a atteint un certain degré de proximité, il devient un nouveau point de départ pour accéder à un degré supérieur, exactement comme, dans une bureaucratie, l'accès à un certain grade devient le point de départ vers la promotion suivante.

Aussi longtemps que les jeunes filles n'ont

pas atteint cette position et occupent une position intermédiaire, elles envient celles qui se
trouvent immédiatement devant elles et leur
font obstacle : les rivales.

C'est ce qui se passe entre les enfants à l'égard
des parents. Ils ne veulent pas «tout», ils
veulent «plus». Chacun veut être préféré aux
autres. La gamine éprise de la star se trouve dans
la situation du dernier-né confronté à une nichée
de frères et sœurs qui jouissaient déjà, avant son
arrivée, de l'amour des parents. Le sentiment
qu'elle éprouve s'apparente plus à de l'envie qu'à
de la jalousie. La jalousie n'apparaît qu'avec
l'exclusivité.

Supposons, toutefois, que la jeune fille par-
vienne à entrer en contact avec la star adulée et
à s'en faire embrasser. La distance étant ainsi
diminuée, le désir d'exclusivité va s'accroître.
Elle peut désormais admettre son amour, le
cultiver, le proclamer. Elle peut se battre pour le
voir partagé, pour s'entendre dire «je t'aime».
C'est là le seuil qui marquera un changement
radical. «Je t'aime» signifie : je te préfère de
manière exclusive, tu as plus de valeur que toute
autre personne. Puisque c'est en devenant l'objet
de son amour que chacun devient, aux yeux de
l'autre, le seul être qui compte, le centre du
monde.

L'expression «je t'aime» est le sésame par
lequel on va échapper à une situation collective

pour accéder au couple monogamique. On quitte l'ordre de la gradation pour entrer dans celui du tout ou rien. Le « je t'aime » est ainsi un sacrement générateur d'une mutation irréversible de la situation sociale et de la nature même de qui s'en voit gratifié. Comme le mariage, comme l'ordination sacerdotale, comme l'adoubement chevaleresque, comme l'octroi d'un grade, comme le couronnement.

L'attraction violente exercée par les stars et, plus généralement, par ceux qui sont désirés par l'ensemble de la collectivité, explique le caractère particulier de l'envie féminine et la rivalité qui se manifeste si souvent entre les femmes. Dans tous les romans sentimentaux — une littérature typiquement, exclusivement féminine — l'héroïne fait la connaissance d'un homme extraordinaire, fort et courageux, mais aussi délicat, plein de douceur, dont elle s'éprend. Toutefois, il lui faut se défendre des fourberies d'une rivale. Ainsi, la conquête de l'amour est toujours un combat, dont elle sort victorieuse non pas par la force ou par l'astuce, mais grâce à sa sincérité et à son dévouement.

Même la solidarité féminine, l'intimité qui se nourrit de confidences sont influencées par ce facteur. Tous les disciples qui aiment le même chef, observe Freud[1], ont tendance à s'identifier,

---

1. Sigmund Freud, *Psychologie des masses et analyses du moi.*

à établir les uns avec les autres des liens de
solidarité. Et c'est surtout le cas lorsque aucun
d'entre eux ne peut prendre l'avantage sur les
autres. Si, au contraire, l'un d'entre eux parvient
à supplanter ses rivaux et à instaurer une
relation privilégiée, l'envie se déchaîne. Ces
brèves remarques nous permettent de compren-
dre comment, chez les jeunes filles, les sentiments de solidarité alternent si fréquemment
avec les sentiments de rivalité. La solidarité se
manifeste quand elles sont toutes éloignées du
but, la rivalité apparaît dès qu'elles s'en rappro-
chent.

4. *Hiérarchie et contre-hiérarchie*

Adoptons pour un instant le point de vue des
jeunes mâles. Eux aussi admirent leurs idoles
féminines, mais ils n'éprouvent pas pour elles,
ordinairement, un véritable sentiment amoureux. Ils ne rêvent pas de les rencontrer, de
nouer une relation avec elles, et ils ne rêvent pas,
surtout, d'en épouser une. Ceci est lié au fait que
l'éducation des hommes ne privilégie pas
l'amour et le mariage comme fondement de la
réalisation de leurs idéaux. La société ne cesse de
leur rappeler, de toutes les façons possibles,
qu'ils doivent s'affirmer professionnellement,
conquérir un statut social avec leurs propres

forces, et qu'ils ne l'obtiendront que par la lutte. Elle leur enseigne aussi que, lorsqu'ils abordent une femme, ils doivent d'abord avoir une valeur par eux-mêmes, quelque chose à lui offrir. La femme n'a qu'elle-même à offrir, et c'est suffisant. Ce n'est pas le cas de l'homme.

Ils ont appris confusément cela dès l'enfance, à travers le discours de leurs parents, la littérature, le cinéma, et voici qu'ils commencent à en faire l'expérience concrète dans leurs rapports avec le sexe féminin. Ainsi que nous l'avons vu, ils abordent les filles de leur âge avec beaucoup de délicatesse et ils en tombent amoureux, bien que cet amour soit bien rarement payé de retour. Les filles ne les regardent pas, elles ont d'autres aspirations, d'autres rêves. Ils s'aperçoivent ainsi qu'ils n'ont aucune valeur, rien d'important à offrir. Et cette pénible impression est encore plus forte envers les stars qu'ils ont pour idoles.

Oh, certes, elles leur plaisent, ces stars! Exactement comme les stars masculines plaisent aux filles. Pourquoi, alors, ne rêvent-ils pas d'en avoir une pour eux tout seuls? Parce qu'ils ne les sentent pas à leur portée, parce qu'elles appartiennent à un autre monde, parce qu'elles sont adultes et ne leur accorderaient pas un regard. Ils ont conscience de ne pas être des objets érotiques pour ces sublimes créatures. Ils ne parviennent même pas à faire d'elles des objets de rêverie amoureuse. Même une rêverie

doit être crédible, vraisemblable. Il rencontre
Kim Basinger dans le hall d'un hôtel, il s'approche, elle lui sourit... et alors, que faire ?
Comment poursuivre une telle aventure ? Il n'a
même pas en poche de quoi l'inviter à dîner —
tout juste de quoi l'emmener dans une pizzeria.
Et que pourrait-il lui proposer d'autre, quel
genre de vie pourrait-il lui offrir ? Il ne peut
même pas l'imaginer. Il lui faut, pour continuer
à rêver, se figurer qu'il est adulte, riche, pourvu
d'une magnifique voiture ... tout autre chose que
ce qu'il est réellement.

Pour une fille, c'est infiniment plus simple.
Elle croise Tom Cruise ou Vasco Rossi dans le
hall d'un hôtel. Il lui sourit, elle lui rend son
sourire. Il lui propose de prendre un verre avec
lui, elle accepte. Il l'invite à dîner, elle accepte.
Et si elle reste avec lui, ils pourront le soir même
faire l'amour. Il lui suffit de dire oui. C'est à lui
qu'appartient l'initiative, c'est lui qui décide du
programme. Conformément à leur rôle social
respectif. Tout comme il est conforme — jusqu'à
nouvel ordre — à l'érotisme masculin, à la
mentalité masculine de voir la star la plus
célèbre éprouver l'envie de faire l'amour avec la
première fille venue, quand bien même celle-ci
serait insignifiante, voire laide, simplement par
goût de la nouveauté, de la diversité. Il en sera
plus difficilement de même chez une star féminine, dans la mesure où la femme, en général, ne

se contente pas d'une relation sexuelle quelconque mais souhaite y trouver une signification, une valeur.

Revenons à notre adolescent. S'il ne parvient même pas à établir un contact social, à proposer à la grande star de faire quelque chose d'intéressant, comment pourrait-il imaginer qu'elle tombe amoureuse de lui ? Il faudrait pour cela un cataclysme émotionnel, un coup de foudre. Et il sait que la femme ne s'éprend que d'un individu de valeur, susceptible de lui offrir quelque chose d'important. Or, il le sait trop bien, il n'a pas encore de valeur. L'homme qu'il sera demain reste à construire. Et il lui faudra du temps pour cela. Il se tient donc à l'écart. La star n'est pas pour lui. Le rêve même est impossible, la réalité lui ôte toute consistance.

La situation de la jeune fille qui a pu établir un rapport érotique est toute différente. Elle a réussi à susciter le désir de l'homme pour elle, à lui apparaître, ne fût-ce qu'un bref instant, comme quelqu'un d'agréable, d'attirant. L'intimité sexuelle laisse toujours une trace, un rapport de confiance, d'amitié. Grâce à sa seule présence physique, à sa féminité, elle est parvenue tout près de lui. Il lui faut maintenant franchir de nouveaux pas. Passer de l'intimité érotique occasionnelle à une relation plus durable, puis à l'amour proprement dit. L'imagination féminine voit ainsi la conquête de l'objet

79

désiré par degrés successifs. L'état amoureux n'est que la dernière étape, le couronnement d'une démarche d'approche, d'une progression lente, impalpable, quasiment imperceptible.

La rêverie féminine a ainsi comme présupposé la conscience d'avoir en soi-même quelque chose de valeur, quelque chose de désirable pour tout homme, idoles comprises. Les filles ont en elles-mêmes et en leur pouvoir esthétique et érotique une confiance qui fait le plus souvent défaut aux garçons. Elle a sans doute pour origine, dans la mémoire culturelle, l'importance énorme qu'ont toujours revêtue aux yeux des hommes, à commencer par les plus puissants, la jeunesse et la fécondité féminines. Un jour peut-être, tout cela changera, et les femmes rechercheront des éphèbes. Ce jour n'est pas encore venu.

Le deuxième présupposé réside dans la façon dont se conçoit l'état amoureux féminin : comme le produit d'une longue préparation, d'une opération de séduction efficace, comme la lente pénétration des sens et du cœur de l'être aimé auquel, ensuite, elle se rend à l'improviste et sans conditions. Elle sait, pour l'avoir appris dans les livres, au cinéma et à la télévision, que l'homme n'a pas le même comportement qu'elle, que son mode de réaction est discontinu, impulsif. Comme celui de l'eau qui boue à cent degrés. Jusqu'à ce point de rupture, rien ne se passe, quelle que soit la chaleur. L'ébullition ne se produit comme une réaction soudaine, explosive, violente, qu'au-delà de ce seuil. Le problème de la femme est donc de faire monter la température érotique et passionnelle jusqu'au moment où se déchaînera en lui la tempête émotionnelle de l'amour naissant.

La femme doit donc imaginer, chez l'homme, un processus totalement différent de celui qui se développe en elle. Elle est attirée par celui que lui a désigné la communauté — l'élu. Elle le désire, en tombe amoureuse. Son problème est alors de susciter en lui un amour tout aussi fort, mais en contradiction avec le principe hiérarchique indiqué par la communauté. L'homme ne doit absolument pas faire comme elle. Il ne doit pas choisir d'abord l'objet de son amour en regardant au-dessus de lui celle qui est la plus belle, la plus célèbre, la plus admirée. S'il s'y prenait ainsi, il ne pourrait jamais la voir ni l'aimer, elle, qui n'est qu'une femme ordinaire, normale. Et ceci est d'autant plus vrai lorsqu'il s'agit de l'idole, qui siège sur les sommets et doit se pencher pour la voir là où elle se trouve, au-dessous de lui.

Tel est donc son problème. Un instinct infaillible — en réalité, le fruit d'une très ancienne tradition — lui dit que la chose est possible et cependant difficile. L'idole elle-même subit l'influence de la hiérarchie sociale.

Si elle ne tourne pas les yeux vers le haut, elle regarde tout de même à son niveau, vers les femmes de son milieu, de son entourage. C'est donc à cette tendance sociale, à cet ordre hiérarchique, que la jeune fille va devoir s'opposer, dont il va lui falloir triompher avec son amour, son dévouement, son élan, sa constance, sa capacité à donner du plaisir. Elle sait qu'à partir d'un certain point, au-delà d'un certain seuil, une mutation soudaine s'opère chez l'homme. Elle l'a vu dans des films, elle l'a lu dans les histoires de stars dont elle se repaît, elle l'a observé dans les regards lourds de ses camarades garçons.

La rêverie de l'adolescente n'est passible que dans la mesure où elle sait que l'homme est capable de tomber amoureux, de perdre la tête en faisant une déesse d'une créature ordinaire. C'est l'amour fou, c'est le stade naissant qui le fait sortir de ses gonds et le pousse à subvertir, de façon révolutionnaire, toute hiérarchie. Et c'est là le pouvoir qui peut accomplir un miracle, faire des derniers les premiers et des premiers les derniers.

C'est ainsi seulement que le fait de s'être éprise d'un idéal, aussi follement et de façon aussi risquée, peut prendre un sens. C'est ainsi qu'elle sera justifiée de s'être vouée à un but qu'elle pouvait ne jamais atteindre, poussée par l'intuition obscure que la flamme et le risque qu'elle cultivait en elle avaient le pouvoir de

révéler — d'enflammer — une puissance nouvelle et décisive. C'est pourquoi, alors même
qu'elle rêve et désire, elle veut en même temps
expérimenter, essayer son pouvoir de séduction.
Et se sent rassurée, plus forte, quand un garçon
pose sur elle un regard énamouré et perd la tête
pour elle.

4

Théorie de l'amour naissant

Parvenus à ce point de notre étude, il convient de faire une pause et de réfléchir. Nous avons relevé un certain nombre de faits, collecté des informations. Il nous faut maintenant les confronter avec les diverses théories de l'amour naissant, y compris la nôtre, pour voir laquelle explique le mieux ce phénomène, laquelle est la plus complète.

1. *Stendhal*

Commençons par la première de ces théories dans l'ordre chronologique, telle que l'a formulée Stendhal, en 1822, dans son célèbre *De L'Amour.*

Stendhal distingue quatre types d'amour. L'amour physique, l'amour-goût, l'amour-vanité et, enfin, l'amour-passion.

L'amour-goût et l'amour-vanité naissent de l'indication sociale, ils se portent vers l'être que tous les autres admirent, et se satisfont de posséder ce que tous apprécient. Les hommes, dans leur immense majorité, observe Stendhal, veulent posséder une femme à la mode, comme on possède un beau cheval. Aux yeux d'un bourgeois, une duchesse est toujours belle et éternellement jeune. Toutes les belles dames de la cour de Louis XIV étaient passionnément éprises du vieux monarque. Le type d'amour qu'éprouvent les jeunes filles pour leurs idoles entrerait ainsi parfaitement dans la catégorie de l'amour-goût et de l'amour-vanité, mais non dans celle de l'amour-passion. Pour Stendhal, en fait, l'amour-passion ne naît pas de l'indication sociale, n'aspire pas à posséder quelque chose que tous admirent. C'est lui qui métamorphose l'objet de son désir, qui le rend beau et admirable.

L'apparition de l'amour-passion — en d'autres termes, le processus de l'amour naissant — se décompose, d'après Stendhal, en sept phases successives :

1. L'admiration. L'autre personne nous plaît, nous nous sentons attirés vers elle et à ce stade, la beauté et l'admiration sociale peuvent encore jouer un rôle.

2. Le sujet s'abandonne aux premières rêveries amoureuses.

3. L'espérance. Pour qu'apparaisse l'amour naissant, nous avons besoin de croire, ne serait-ce que fugitivement, à la possibilité d'un amour partagé. S'il n'en est pas ainsi, si cette hypothèse est totalement exclue, le processus n'ira pas plus avant.

4. A ce stade, l'amour est né. Nous éprouvons du plaisir à voir, à toucher, à percevoir par tous nos sens, et de près, l'objet de notre amour.

5. Le processus entre dans une phase décisive : la première *cristallisation*. Ce terme, dans son sens originel, désigne le phénomène qui se produit lorsqu'on plonge un bâtonnet dans une solution saline : le bâtonnet ne tarde pas à se couvrir de cristaux étincelants. De même, tous les traits de la personne aimée, défauts compris, apparaissent comme autant de perfections.

6. Le doute. L'amoureux veut s'entendre dire qu'il est aimé de retour, il veut des certitudes et ne les obtient pas. Il cherche alors à lutter contre son penchant, à s'en distraire, il voudrait désirer quelqu'un d'autre et constate, avec effroi, qu'il n'y parvient pas.

7. Au dernier stade se produit la *deuxième cristallisation*, qui lui fait découvrir de nouveaux attraits chez l'être aimé, et il s'abandonne tout entier à l'espoir d'en être aimé.

L'amour naissant, selon Stendhal, est donc un processus unilatéral par lequel nous embellissons (nous *cristallisons*, pour employer son langage) tous les traits de la personne aimée. Le cristal est une matière qui se superpose, qui déforme et rend attrayant quelque chose qui, en soi-même, serait opaque, insignifiant. La cristallisation constitue ainsi un processus opposé à celui de l'amour-goût et de l'amour-vanité, dans lesquels le caractère désirable de l'objet aimé nous est indiqué et souligné par la société, les louanges, les désirs des autres.

Au mot de cristallisation, je préfère celui de *transfiguration*. Car dans l'amour naissant, en réalité, nous ne superposons rien, nous ne parons pas l'être aimé de merveilleuses qualités nouvelles. C'est ce qu'il est, dans son être même, qui nous apparaît comme merveilleux. Si ses cheveux sont bruns, nous les désirons bruns et découvrons soudain le charme du brun. S'ils sont blonds, nous les désirons blonds et découvrons l'éclat de la blondeur. S'il est fort et éclatant de santé, nous aimons sa force et sa santé, mais s'il est faible et maladif nous sommes attendris par sa faiblesse et découvrons le charme de la fragilité. Nous aimons les défauts de la personne aimée, ses lacunes, et jusqu'à ses organes internes, le foie, les reins, la rate. La personne réellement amoureuse voudrait les caresser, les embrasser comme elle le fait pour les lèvres, les seins, le sexe. Et le monde est pareillement transfiguré. Les couleurs deviennent plus vives, les contrastes plus accentués, les sons plus riches en harmonies. La nature se charge de sens, d'échos, de résonances sacrées. C'est pourquoi le mot de cristallisation me semble inadéquat, et même erroné.

Autre problème : après tout ce que nous avons vu, nous ne pouvons accepter la distinction nette, radicale, que fait Stendhal entre l'amour-vanité et l'amour-passion. Même l'amour de la gamine pour son idole, pour son professeur, pour son chef charismatique, est de l'amour naissant. Après avoir moi-même soutenu la thèse de Stendhal[1], je me vois contraint de l'abandonner. Il existe, certes, de pseudo-amours naissants, des passades nées de l'ambition, de la vanité. Mais il ne suffit pas, pour les distinguer de l'amour naissant véritable, d'apprécier la hauteur de leurs aspirations. Il faut étudier le processus dans son entier. Même Héloïse s'est entichée d'Abélard parce qu'elle voyait en lui un grand savant admiré, loué, adulé[2]. La suite nous a prouvé qu'il s'agissait bel et bien d'un grand amour. Ce n'est pas le type d'objet auquel il s'applique, ni la qualité de l'attachement initial qui nous permettent d'identifier l'amour nais-

1. Dans *L'Érotisme*, j'écrivais que l'attachement pour l'idole n'est pas de l'amour naissant parce qu'il dure peu et peut se transférer sur un autre. En réalité, il existe des amours pour des idoles qui se révèlent durables et tenaces.

2. M.T. Fumagalli Beonio Brocchieri, *Eloisa e Abélardo*, Milan, Mondadori éd., 1984.

sant, mais la manière dont il se développe et, surtout, l'interaction. L'état amoureux d'une seule personne est le début d'un possible processus d'interaction. Il porte en soi, implicitement, le double phénomène, il en est l'évocation, et il le réclame comme son complément nécessaire.

On touche ici aux limites de la théorie de Stendhal. Il nous décrit la naissance du désir et le processus de transfiguration chez une seule personne. Il étudie l'amour naissant comme une émotion, une passion unilatérale. Pourtant, dans l'amour on est toujours deux et il y a toujours — réellement, ou virtuellement — interaction. Quand et pourquoi l'autre s'éprend-t-il à son tour ? Pourquoi un amour grandit-il tandis qu'un autre s'éteint ? Tout ceci échappe à son champ d'investigation.

2. La psychanalyse

Il n'existe aucune véritable théorie psychanalytique de l'amour naissant. Ni Freud ni ses élèves ne s'en sont jamais réellement préoccupés. Et l'amour naissant, d'ailleurs, pose un problème particulièrement épineux à l'appareil conceptuel de la psychanalyse. Avec sa production fantasmatique débordante, ses exagérations, la transfiguration de la réalité qu'il implique, son optimisme irréductible, ses brusques

dépressions, ses accès de jalousie, son entête-
ment, l'amour naissant semble être, du point de
vue psychanalytique, non pas une névrose mais
une psychose. Or les psychoses, toutes les psychoses, ne sont pour Freud que des régressions
narcissiques profondes. Comment expliquer
alors que la psychose, qui conduit normalement
à l'isolement, à l'autisme, pousse ceux qui en
sont atteints à se marier, à faire des enfants, à
se jeter dans le monde pour s'en saisir avec
avidité ? Un vrai casse-tête, en vérité !

De fait, les psychanalystes, dans leur pratique
quotidienne, n'ont cessé de se heurter au problème de l'amour naissant. De tout temps
depuis qu'existe la psychanalyse, nombre de
patients qui passaient leur temps à raconter
leur vie érotique sur leur divan ont réagi de la
même façon que nos adolescentes amoureuses
d'une idole. Ils sont tombés amoureux de leur
psychanalyste. C'est le phénomène du transfert.
Le génie de Freud est de l'avoir ignoré en tant
qu'amour naissant initial, invite érotique et
proposition de vie, et de l'avoir utilisé comme
instrument thérapeutique. L'amoureux concentre sur l'être aimé tous ses rêves, retrouve en lui
tous ses amours passés. La patiente, de même,
projette tout cela sur son analyste. L'analyste a
ainsi à sa disposition un inépuisable gisement
d'associations et de souvenirs. Le transfert est
donc un amour naissant unilatéral, l'amorce

d'un processus de transformation par lequel le sujet tente de circonvenir l'objet de son amour. Mais l'analyste n'entre pas dans ce jeu, n'envisage même pas la possibilité d'un projet de couple. Il détourne l'amour naissant de son but et en utilise l'énergie à des fins thérapeutiques. Il n'en analyse que ce qui l'intéresse : la projection continue de situations de la prime enfance, les relations avec les parents, les frères et les sœurs.

Ici se situe l'origine de la théorie de l'amour naissant vu comme une projection des images parentales, comme une régression profonde et comme une production fantasmatique provoquée par le refoulement des pulsions sexuelles.

La conception psychanalytique est tournée vers le passé. Si le sujet manifeste une activité sexuelle et symbolique frénétique, s'il éprouve des émotions violentes, s'il nourrit des projets fantasmatiques, la psychanalyse n'y verra rien de nouveau, mais simplement le fait que quelque chose d'infantile cherche, en lui, à s'exprimer. Et que, de même, quelque chose d'infantile le freine, le retient, l'inhibe. Ce qui se révèle n'est jamais que ce qui existait déjà, ce qui a déjà été vécu. Il est bien difficile, avec un tel postulat, d'arriver à l'idée que l'amour naissant est une mutation, une métamorphose, une mort-renaissance, l'irruption et l'édification du nouveau.

Peut-être trouverons-nous quelque secours

dans la conception freudienne du mouvement collectif et du chef charismatique. Elle prend pour modèle la famille et la horde primitive[1]. Tous les frères s'y identifient au père et désirent être aimés de lui de façon exclusive. Néanmoins, comme le père n'en distingue aucun, ils s'identifient les uns aux autres et forment une communauté d'égaux. C'est ce qui se passe pour nos adolescentes amoureuses de Vasco Rossi. Aussi longtemps qu'elles forment une foule anonyme, elles sont solidaires entre elles.

Pour quelles raisons tombent-elles amoureuses de Vasco Rossi? Qu'est-ce qui les pousse vers lui? L'amour des enfants pour le père et pour la mère se développe petit à petit, il est le fruit des soins, de l'affection, d'une longue intimité. Celui qu'on porte au chef charismatique, au contraire, est soudain, comme l'amour naissant. Comment cela est-il possible? Nous sommes ramenés à la réponse déjà énoncée : il y a sans doute une régression, un retour au passé, derrière le chef se cache l'image du père. C'est le transfert[2].

---

1. Sigmund Freud, *Psychologie des masses et analyses du moi.*
2. Pour surmonter ces difficultés de la psychanalyse, j'ai reformulé la théorie dualiste des instincts. Cf. Francesco Alberoni, *Genesi,* Milan, Garzanti, 1989, chapitre « La dynamique ».

3. Denis de Rougemont

L'Amour et l'Occident, publié par Denis de Rougemont en 1939, a exercé dans ce domaine une influence considérable. Le livre est un essai sur le mythe de Tristan et Iseut. On connaît l'histoire : Tristan est un orphelin élevé à la cour de Marc, le roi de Cornouailles. Il tue dans un combat le géant Morholt qui terrorisait le pays, mais il est blessé et se laisse dériver, mourant, dans une barque sans voile et sans rames. Poussé par les courants, il arrive en Irlande où la reine, sœur du géant qu'il vient de tuer, a le pouvoir de le guérir. Il se laisse soigner par la princesse Iseut sans révéler son identité.

Quelques années plus tard, le roi Marc l'envoie demander la main d'Iseut. Au cours de leur traversée vers l'Angleterre, Tristan et Iseut boivent un filtre magique dont le charme doit agir pendant trois années, et tombent amoureux l'un de l'autre. Tristan conduit pourtant Iseut au roi. Une fois à la cour, ils continuent à s'aimer, sont découverts, s'enfuient dans une forêt où ils passent trois ans, jusqu'au moment où le filtre cesse d'agir. Mais l'amour se renouvelle. Après de multiples aventures, Tristan épouse une autre Iseut, Iseut aux Blanches Mains, mais ne consomme pas ce mariage. Blessé à mort, il appelle la reine de Cornouailles qui arrive dans une barque gréée d'une voile blanche, symbole d'espoir. Son épouse, jalouse, lui dit que la voile est noire. Tristan meurt et Iseut la blonde arrive au château pour mourir à son tour dans les bras de son amant.

Rougemont, dans son commentaire, observe que la passion est liée à la séparation des amants. Une séparation qu'en définitive, ils recherchent eux-mêmes. Tristan aurait pu enlever Iseut, tuer le roi, ils auraient pu ensemble éviter les mille trahisons et les mille chausse-trapes dont ils ont été victimes, y compris le mariage final. Le roman, du début à la fin, montre qu'ils n'aspirent pas à partager le quotidien. Ils veulent la passion, ils veulent se consumer d'amour.

Ce type d'amour — d'après Rougemont — n'est autre que l'*éros* platonique, le délire divin qui élève l'âme, à travers des phases d'extase successives, vers Dieu, loin du monde, loin des corps, au-delà de la séparation, jusqu'à la fusion finale avec Lui. C'est une expérience religieuse, déjà présente dans la culture celtique, apportée en Europe par la mystique arabe, revitalisée par la diffusion de l'hérésie manichéenne dans le sud de la France, et qui s'épanouira dans la poésie des troubadours. Dans cette conception religieuse, le monde est mauvais, la vie est mauvaise, et l'*éros* est la passion mystique, le moyen d'y échapper. Il n'a pas pour fin l'union de deux êtres, mais le détachement du monde, la mort.

La femme n'est pas une personne humaine,

mais le symbole de l'âme divine dans laquelle on veut se confondre. Ainsi la Béatrice de Dante, la Laure de Pétrarque et, en gros, toutes les héroïnes de la littérature jusqu'à la Dulcinée de Cervantès, jusqu'au romantisme. L'aboutissement de la passion, ainsi, ne peut être que la mort. Tout comme dans Shakespeare, Corneille, Racine, et plus tard dans Hölderlin, Novalis.

Cette aspiration à l'amour-passion ne s'est pas éteinte. On la retrouve dans les films de Hollywood. Elle explique, à en croire Rougemont, la crise du mariage en tant qu'institution : les gens continuent à chercher la grande passion, sans savoir qu'ils adhèrent ainsi à une croyance païenne qui proclame comme but ultime de l'existence le néant, la mort. A cette folie, Denis de Rougemont oppose la conception chrétienne de l'amour, du festin, du don à autrui, sur laquelle le mariage peut se fonder en tant que décision rationnelle, acte de volonté.

La thèse de Rougemont, selon laquelle la passion amoureuse serait le fruit d'un enseignement philosophico-religieux hérétique et souterrain, est insoutenable. La tradition philosophique médiévale est artistique et chrétienne, elle n'est pas gnostique, manichéenne. La Renaissance découvre la vie, l'individu, et non pas la fuite loin du monde et la mort. La modernité aspire au bonheur, elle croit au progrès. Il n'est pas possible que la littérature amoureuse, et elle seule, ait subi l'influence du pessimisme manichéen. Et on ne comprend pas comment cette antique religion aurait pu influencer notre époque sécularisée et consumériste. Entre Hollywood et la fuite hors du monde pratiquée par les cathares, il n'y a pratiquement aucun rapport possible.

Alors? Alors, il nous faut trouver une autre explication. Revenons à la théorie exposée dans *Amour naissant et amour*.

L'amour dont parle Platon dans *Phèdre* et dans *Le Banquet* est, d'après nous, passion amoureuse, amour naissant. Cet amour produit une extraordinaire expérience d'extase, de fusion avec l'être aimé et avec le tout. C'est l'*état naissant*, une force révolutionnaire qui nous élève au-dessus du quotidien. Quand cet amour se porte vers une personne de chair et de sang, il la transfigure et, en se confondant avec elle, crée quelque chose de nouveau, un couple. Toutefois, la même expérience extraordinaire peut aussi fonder une relation de nature religieuse, se présenter comme une élévation religieuse, l'union mystique avec Dieu. C'est la voie des néoplatoniciens et de la mystique occidentale. Deux voies différentes, donc, avec un point de départ commun.

Le fait d'avoir en commun l'état naissant explique pourquoi l'amour naissant et la mystique s'expriment avec la même langue. Il explique pourquoi la poésie amoureuse et la poésie religieuse sont parfois si proches, pourquoi la littérature révèle un si grand nombre de points de contact entre l'une et l'autre. Cependant, les deux expériences restent différentes. L'amour naissant est aussi une expérience sacrée, mais son projet est de refonder une communauté.

Et la passion? La passion surgit lorsqu'un puissant élan vital se heurte à des obstacles internes et externes. L'explosion de l'individualisme au XIIIe siècle rend possible l'amour naissant entre deux individus. Il n'est pourtant pas encore en mesure de renverser les lois féodales et les fondements du mariage en tant que contrat entre familles. L'amour naissant n'est pas encore en mesure de s'imposer comme fondement du mariage. La distance est trop grande entre l'état naissant de l'amour et l'institution matrimoniale médiévale, pour que celui-ci devienne la base de celle-là. Héloïse elle-même refuse d'épouser Abélard, car elle ne voit pas comment la vie conjugale pourrait être l'aboutissement de leur amour. Elle aspire à l'union des cœurs, à une vie émotionnellement et intellectuellement intense, et le mariage, avec ses devoirs quotidiens, lui apparaît comme un obstacle.

C'est exactement le type d'expérience que

recherchent et que vivent les lecteurs du roman de Tristan et de la littérature amoureuse occidentale. La passion amoureuse romancée correspond à celle qu'ils éprouvent dans leur vie concrète, contrariée par les relations entre familles, les barrières de classe et de position, par les obligations et les devoirs qui pèsent sur eux.

L'amour naissant est l'une des formes dans lesquelles, en Occident, s'affirme et s'épanouit l'individualité, à travers laquelle se réalise la subjectivité individuelle, la liberté affective. C'est un processus lent, en contradiction avec les normes coutumières, avec les contraintes sociales. C'est le choix souverain de l'individu, il est anti-hiérarchique, irrespectueux.

L'amour, en Occident, n'en déplaise à Denis de Rougemont, est synonyme de subversion, d'adultère, de heurt avec les familles, de franchissement des barrières sociales, raciales, religieuses. C'est une force qui divise et qui réunit de façon différente, incongrue, à chaud, et transfigure l'existant. Exactement comme ce qui se passe avec les mouvements politiques et dans les mouvements religieux. C'est le destin d'une société qui se régénère continuellement, qui ne se complaît jamais dans les structures qu'elle crée mais les subvertit et les rénove au fil d'une succession ininterrompue d'erreurs et de tâtonnements, sous l'impulsion d'une incessante poussée vers le haut[1].

4. René Girard

Pour René Girard, chacun de nos désirs est appris et naît, par imitation, du désir des autres[2]. L'enfant ne veut un jouet qu'après l'avoir vu entre les mains d'un autre enfant. Que l'autre le possède, et il veut le posséder à son tour. Si l'autre joue, il veut jouer lui aussi. Les parents peuvent, eux aussi, indiquer ce qui est désirable en le lui disant implicitement, en lui signalant que telle ou telle chose a de la valeur. Ou encore implicitement, par leur comportement, par leurs gestes. Le bambin s'identifie à eux, se modèle sur eux, et désire ce qu'ils désirent.

Chaque désir offre ainsi une structure triangulaire. D'un côté, le sujet qui désire. De l'autre, l'objet désiré. Et entre les deux, une troisième figure, le *médiateur*. Le sujet ne désire pas l'objet directement, mais à travers le médiateur.

Le médiateur peut être plus ou moins éloigné du sujet. Girard cite l'exemple de Don Quichotte

1. Pour une interprétation de l'histoire de l'Occident, cf. Francesco Alberoni, *Genesi*.

2. Les principaux travaux de Girard concernant cette question : *Mensonge romantique et vérité romanesque*, et *La violence et le sacré*, Paris, Grasset.

qui a pris comme modèle idéal Amadis de Gaule. Amadis est le médiateur, celui qui indique les objets de valeur. C'est un médiateur lointain, extérieur. Don Quichotte l'admire, l'estime supérieur à lui-même. Il désire ce que l'autre lui indique, mais n'entre pas en conflit avec lui. Les adolescentes amoureuses d'une star nous offrent un autre exemple de médiation extérieure. Elles se voient, dans leurs rêveries, à la place de la partenaire de cinéma de leur idole, en train de lui donner la réplique. Elles s'identifient ainsi à un personnage féminin et désirent l'idole à travers celui-ci. La partenaire est ici le médiateur. Un médiateur lointain. C'est pourquoi elles n'éprouvent nulle envie à son égard. Si le rapport devenait au contraire plus étroit, si elles pouvaient approcher leur idole, alors elles commenceraient à poser sur la partenaire un regard d'envie.

Supposons maintenant qu'elles parviennent à établir un rapport encore plus étroit. A faire l'amour avec lui en concurrence avec sa partenaire, et à envisager de prendre la place de cette dernière. Arrivées à ce point, elles voudront posséder l'idole comme celle-ci l'a possédée, de façon aussi exclusive, et deviendront jalouses d'elle.

Plus le médiateur se rapproche, plus il apparaît comme un obstacle à la réalisation du désir qu'il a suscité. L'envieux, tout comme le jaloux,

101

n'a pas forcément conscience du fait que son désir a été suscité par le médiateur, il ne l'en considère pas moins comme un obstacle.

Dans l'amour-passion, pour Girard, le sujet désire éperdument un objet dont il attend une miraculeuse transformation de son être, une vie nouvelle. C'est le « désir métaphysique,» qui se porte sur un objet initiatique. Celui-ci paraît alors merveilleux, transfiguré, divin. Il promet une vie extraordinaire, supérieure. Cette vie n'est autre que le mirage projeté par le médiateur. Le sujet, sans le savoir, veut ce que lui indique le médiateur, ce que celui-ci désire, admire. Les pensées du médiateur, ses désirs, ses rêves se projettent sur l'objet comme sur un écran, et le transfigurent.

Le sujet ne prend conscience de cette illusion qu'une fois son but atteint. Il constate alors que l'objet n'a pas miraculeusement transformé sa vie et son être. L'amour idéalisé s'évanouit et fait place à la désillusion.

Le mérite de Girard est d'avoir mis en évidence la dimension sociale, collective, présente dans toute admiration, dans tout amour individuel. Nos rêves, nos idéaux, nos chimères sont construits sur une identification avec autrui, avec les personnages de la littérature, du spectacle, avec les idoles. Et il est vrai aussi que, en tombant amoureux, le sujet aspire à une métamorphose, à entrer dans un autre monde émotionnel et social : tomber amoureux, c'est concrétiser ces rêveries en se conformant aux suggestions des mille médiateurs que nous avons rencontrés au cours de notre existence.

A partir de là, toutefois, notre interprétation diverge de la sienne. Quand il parle du médiateur, Girard pense à un individu. Le sujet veut être comme lui, il veut vivre sa vie et s'éprend donc de la personne qu'il aime. Pour nous, il n'y a pas un seul, mais d'innombrables médiateurs : toutes les identifications avec lesquelles nous nous sommes construits nous-mêmes au cours de notre existence. Le médiateur n'est pas individuel, il est collectif.

Revenons à nos jeunes filles. Si nous leur appliquons le modèle de Girard, il nous faudra dire qu'elles s'éprennent de l'idole et veulent entrer dans son monde parce qu'elles se sont identifiées à sa partenaire et qu'elles désirent ce que celle-ci désire. C'est faux.

Notre adolescente tombe amoureuse de l'idole et veut entrer dans son monde parce qu'elle s'identifie à toutes les héroïnes des films qu'elle a vus dans son enfance, aux personnages des séries télévisées, à ceux des romans-photos, à tout ce qu'elle a entendu dire par sa mère, par ses amies. Le monde où évoluent toutes ces femmes est au-dessus du sien, il est plus riche, plus intense, plus chargé de significations que celui dans lequel elle vit jour après jour. L'idole est l'intermédiaire qui peut lui ouvrir ce monde. L'identification à sa partenaire de tel ou tel film n'est que l'occasion d'entrer en contact avec lui. Notre adolescente ne tombe pas amoureuse de l'idole parce qu'elle s'est identifiée à sa partenaire. Pas plus que l'adolescent ne tombe amoureux d'une camarade sous prétexte qu'il s'est identifié au garçon de sa classe qui a attiré son attention sur sa beauté. L'identification au médiateur ultime n'est que l'un des multiples facteurs qui, en s'additionnant, déclenchent le processus d'amour naissant.

5. Dorothy Tennov

Le travail de Dorothy Tennov tranche sur la médiocrité générale de la psychologie américaine. Elle prolonge la réflexion de Stendhal en décrivant quelques caractéristiques de l'état naissant de l'amour. Constatant qu'il s'agit d'un «état» différent, particulier, elle lui donne le nom bizarre de *limerence*[1].

Il y a généralement, observe-t-elle, une première phase d'incertitude, d'exploration. Puis l'attention se fixe sur une personne et ne peut plus s'en détacher. Une pensée constante, obsessionnelle, occupe la conscience.

A l'idée d'être aimé en retour, le sujet ressent

---

1. D. Tennov, *Love and Limerence*.

une euphorie, une félicité indicibles. Mais il garde la crainte de ne pas être aimé. L'extase et le tourment l'habitent alternativement.

La personne amoureuse devient extraordinairement sensible à tous les comportements extraverbaux de l'être aimé. Pour s'assurer qu'il l'aime, elle se livre à un incessant travail de déchiffrage de ses gestes et attitudes, des variations de ton de sa voix. Et sa sexualité prend, elle aussi, un caractère extatique.

L'étude de Tennov ne va guère plus loin. Voyons donc s'il est possible de continuer sur sa lancée en revenant à l'expérience fondamentale de l'état naissant que nous avons déjà examinée[1]. Elle n'apparaît vraiment, rappelons-le, que dans le cas d'un amour partagé. L'engouement unilatéral, à distance, ne permet pas d'y accéder.

Dans l'état naissant se produit, avant tout, l'expérience de l'éveil, de la révélation, de la renaissance. L'individu vit l'expérience exaltante d'une nouvelle vie. *Incipit vita nova!*

L'expérience métaphysique

Nous vivions jusqu'alors dans le quotidien, l'inauthentique, le contingent. Voici que nous entrevoyons un autre plan qui, seul, mérite le nom de réalité.

---

1. La description complète de l'expérience fondamentale de l'état naissant figure dans *Genesi*.

En ce qui concerne les émotions, c'est le lieu de l'*authenticité*. Nous croyions aimer et ce n'était pas vrai. Nous vivions de conventions, de compromis. L'amour est un flux d'inépuisable spontanéité et, en même temps, une harmonie de l'univers. Il est même participation à cette harmonie.

Pour ce qui est de la pensée, nous sentons qu'au-delà, au cœur des choses, existe un ordre, une *vérité* accessible. Aussi angoissante, dramatique, que soit la situation, nous savons qu'il y a forcément une solution, une voie.

Sur le plan de la morale, nous savons d'expérience que l'être, la nature, sont profondément *justes*. Qu'il y a un accord profond entre l'ordre du plaisir et celui du devoir. Si nous obéissons à notre vocation la plus profonde, nous rencontrons notre plus profond devoir.

Nous nous sentons partie du *cosmos*, traversés par ses inépuisables courants d'énergie. Nous sentons que tout est lié, que tout communique avec tout. *La crainte de la mort disparaît.*

L'objet de notre amour est unique, singulier, incomparable. L'être est parfait, il ne lui manque rien, il est complet par essence. L'être aimé, comme l'écrit Carotenuto, est *atopos*, autrement dit inclassifiable. Et il devient l'unique interlocuteur véritable, le seul à qui adresser des demandes, le seul dont on peut attendre une réponse concrète — *la* réponse[1].

Historicisation

Le sujet se regarde lui-même et contemple sa vie avec un regard nouveau. Il revient sur les chemins du passé pour construire sa nouvelle identité. Quand l'amour naissant est bilatéral, le processus d'historicisation se fait à deux. Les amoureux parlent pendant des heures et des heures, des jours et des jours, ils se racontent leur vie, la mettent en commun, la reconstruisent comme une vie collective et comme l'histoire de leur amour.

Liberté et destin

La liberté quotidienne est fondée sur l'indifférence. Nous sommes libres de choisir la viande ou le poisson, mais les deux termes de l'alternative sont indifférents. Dans l'état naissant, nous trouvons la liberté d'aller là où il est important d'aller, de trouver notre destin.

L'état naissant aspire à l'accord, au consensus, à l'unanimité, car il part à la recherche de l'*unum, verum* et *bonum*. Puis il rencontre l'obstacle, la dissension, le doute. Dans cette zone incandescente de l'esprit, tout cela se présente comme *dilemme*, choix dramatique.

---

1. Voir Aldo Carotenuto, *Eros e pathos* Milan, Bompiani, 1987.

Les deux amoureux aspirent à la *fusion*, et chacun est spontanément disposé à modeler ses désirs sur ceux de l'autre. Parce qu'il veut lui plaire, parce que l'autre lui révèle un mode d'être supérieur. Et chacun, dans le même temps, veut se réaliser lui-même, réaliser ses plus profonds, ses plus authentiques désirs. Ils s'explorent mutuellement, avancent, reculent, établissent des points de non-retour, fixent des *limites*, tracent des *sentiers*.

Les deux amoureux sont ouverts au monde. Leur attachement mutuel est confiant, optimiste. Ils voient dans leur amour une grande chance et voudraient que tous soient heureux autour d'eux. Ils sont en même temps prêts à lutter pour leur amour, jusqu'à la mort.

L'amour naissant véritable produit une modification profonde, *irréversible*. C'est pourquoi il dure. L'amour naissant ne peut pas se transférer comme un engouement pour une idole, comme une toquade passagère.

L'état naissant de l'amour ne s'achève pas lorsque les deux amoureux sont assurés de leur attachement mutuel, car la correspondance, la réciprocité restent toujours un miracle, une *grâce*, un don divin. Ils n'entrent pas dans le registre du quotidien.

6. *Reconstruction*

L'amour naissant, dans son ensemble, est un

processus bilatéral qui dissout une trame sociale et en reconstitue une autre. Il n'est pas seulement l'apparition d'un nouveau couple, il est l'apparition d'un nouveau couple dans un nouveau système de relations sociales et de valeurs. Ceci se produit à travers cette mutation qualitative de l'expérience et du rapport aux autres que nous avons appelée l'*état naissant*. L'état naissant est une évasion hors de la vie quotidienne, l'entrée dans un règne ardent et enchanté où prévalent d'autres lois et une autre logique. A partir de là, on revient progressivement à la réalité en la modifiant, en la remodelant.

Si nous voulons modifier la forme d'un objet métallique, si nous voulons, par exemple, transformer une cloche en statue, nous ne pouvons le faire progressivement. Il nous faut d'abord la porter à très haute température, la fondre. La matière, alors, change d'«état», de solide elle devient liquide, et peut prendre la forme que nous désirons. Après l'avoir coulée dans le moule et refroidie, nous obtenons un nouvel objet. L'état naissant est un état de l'esprit, un état spirituel, à un moment individuel et collectif. L'état naissant de l'amour est la forme très particulière qu'il prend quand se crée un nouveau couple, et dans cette fusion entrent aussi en jeu la sexualité et l'érotisme.

Le processus de l'amour naissant, par lequel deux personnes se rejoignent réellement ou potentiellement, chacune avec les membres de sa famille, ses amis, son monde à elle, est un fait social. En termes sociologiques, un «mouvement» collectif. Y compris lorsque l'une des deux personnes seulement tombe amoureuse et que l'autre l'ignore, comme dans le cas de nos adolescentes et de leurs idoles. Car il reste toujours l'amorce d'un processus collectif qui se développe. Dans son esprit, la jeune fille pense qu'elle rencontre l'être adoré, qu'elle l'embrasse, qu'elle l'épouse. Elle se prépare ainsi à une relation sociale qui, si elle devait se nouer un jour, transformerait de façon révolutionnaire leur vie à tous les deux.

Toutes les théories de l'amour naissant que nous avons examinées jusqu'ici s'attachent à un aspect ou à un fragment de ce processus global. Stendhal traite de ce qui se passe dans la tête de l'amoureux quand il transfigure l'objet de son amour. Freud, lui aussi, se penche sur un individu isolé et analyse l'état passionnel comme une pulsion refoulée ou la résurgence d'émotions enfantines. Denis de Rougemont a découvert que la littérature amoureuse décrit un état extraordinaire, par lequel les amants parviennent au-delà du bien et du mal, du plaisir et de la souffrance. Il y voit une fuite hors du monde de nature religieuse.

René Girard pense que le désir est alimenté par l'envie et la jalousie. Dorothy Tennov, à son tour, se concentre sur l'individu isolé et complète la description de la passion amoureuse commencée par Stendhal et, comme lui, la voit comme un type d'amour en soi.

Il ne s'est ainsi trouvé personne pour considérer le processus collectif dans toute sa complexité et décrire les différentes formes d'expérience amoureuse comme autant d'étapes ou de variantes dans le développement de ce processus. L'explosion amoureuse semble une fantaisie, une erreur, une drogue, une fièvre ou, tout au plus, un bizarre état d'extase.

Prenons l'autre point de vue. Celui de la société, celui du processus historique. Dans cette perspective, nous apercevons une multiplicité de forces qui contraignent les individus à transformer sans cesse leurs relations et à se transformer eux-mêmes. La société est un processus ininterrompu de dissolution des anciennes solidarités et de leurs buts, et de recréation de nouvelles solidarités et de nouveaux buts[1].

---

1. Divers auteurs américains ont étudié le mariage dans cette perspective. Cf. Peter Berger et Mansfried Kellner, « Mariage and the Construction of Reality », in *Diogenes,* vol. 46, 1964, et aussi C. Nadelson, D.C. Polonsky et M.A. Mathews, « Marriage as a Developmental Process », in *Marriage and Divorce,* sous l'égide de C. Nadelson et D.C. Polonsky, New York, The Guilford Press, 1984. Ce choix est le produit de la vision contractualiste. La relation commence ainsi avec le contrat de mariage. Notre thèse, au contraire, considère le mariage comme une étape dans le processus d'institutionalisation.

Qui crée ces valeurs et ces buts collectifs ? Avant tout, les mouvements politiques, religieux, philosophiques, artistiques. Les hommes, en y participant, abandonnent le calcul quotidien des coûts et des bénéfices, ils s'élèvent vers l'universel, croient et espèrent avec toute la force de la passion. Ils ont souvent comme références des personnalités extraordinaires, des guides, des leaders charismatiques qui ouvrent la voie, qui proposent des modèles. Ces mouvements reconstituent les nations, les partis, les églises, produisent des lois, des institutions.

Pour l'individu, l'évolution n'est pas différente. Il quitte l'enfance et le cercle familial pour entrer à l'école, dans de nouveaux groupes, dans une profession, dans une activité politique. Il découvre de nouveaux buts, de nouvelles valeurs. Le mécanisme se répète à plusieurs reprises dans le cours d'une vie. Chacun d'entre nous passe ainsi par des points forts, des tournants, comme une militance politique, une conversion religieuse, la révélation d'une vocation artistique ou sportive. Ce sont des moments d'enthousiasme au cours desquels l'individu se transforme, subit une mutation intérieure. Tout ceci implique aussi des conflits, des tensions avec l'entourage et, partant, un renouvellement des rapports sociaux.

Parmi ces points forts de la vie, il y a les

grands amours. Ils sont une accélération du processus de mutation et tendent à reconstruire un nouveau rapport érotique, un nouveau couple. Ils offrent une parfaite analogie avec les mouvements de société plus amples. A ceci près qu'ils ne mettent en jeu que deux personnes, en l'absence de tout leader charismatique extérieur : chacun devient le leader charismatique de l'autre.

Je voudrais donner quelques exemples extraits de la riche matière accumulée depuis plus de quinze ans. Dans chacun des trois cas exposés, on verra que l'acte de tomber amoureux constitue le moment crucial d'un processus longuement préparé et qui aspire à une solution.

Le premier cas concerne un manager qui s'était rendu au Japon pour le compte d'une multinationale, avec un contrat de plusieurs années. Il était célibataire et n'avait aucune intention de se marier. Pourtant, après un certain temps, il commença à souffrir de la solitude et, simultanément, à se sentir fasciné par un pays dont l'essence même lui échappait. Il se mit à étudier la langue, l'art, à fréquenter les théâtres. Mais il éprouvait toujours cette impression de marginalité, d'exclusion. Il s'ennuyait dans sa propre communauté, et ne parvenait pas à s'absorber totalement dans le travail. Il était morose, insatisfait. Sur le point de repartir pour l'Europe, il fit la connaissance d'une Japonaise enseignante à l'université, mariée mais insatisfaite auprès d'un mari trop traditionaliste, et très intéressée par la vie occidentale. Entre eux se noua une relation qu'ils pensaient l'un et l'autre maintenir sur un plan purement érotique. Le manager n'allait pas tarder à s'apercevoir qu'il était complètement fasciné par cette femme. Il lui semblait avoir trouvé en elle l'essence de la féminité, et elle lui donnait l'impression de receler en son être le secret de l'existence. A travers elle, en outre, il parvenait à pénétrer la culture japonaise par une sorte d'identification instantanée, comme si un mur était tombé. Il se sentait, en quelque sorte, japonais lui-même, et il en était heureux. La femme, de son côté, trouvait en lui cette porte vers l'Occident dont elle rêvait obscurément depuis l'enfance.

Le deuxième cas est celui d'une jeune fille qui, après une adolescence inquiète et des études médiocres, s'était fiancée à un garçon issu d'une famille aisée et très en vue de la ville où ils habitaient l'un et l'autre. Les parents, les frères et les sœurs du fiancé étaient on ne peut plus aimables avec elle, mais elle gardait l'impression qu'on ne la tenait pas en très grande estime. Elle reprit ses études de photographie et, comme son fiancé devait s'absenter un an pour faire son service militaire, alla s'installer à Milan près d'un important studio de photographie de mode.

Elle y trouva une ambiance stimulante et compétitive dans laquelle elle se sentait appréciée. Elle y réussit fort bien, et devint en peu de temps une bonne professionnelle. Au retour du fiancé, ils fixèrent la date du mariage et allèrent habiter dans une petite villa offerte par les parents, où elle ne se plut pas. Elle aimait Milan, où elle se rendait chaque jour pour travailler. Un soir, au cours d'une réception, elle fit la connaissance d'un journaliste qui lui parut sensible et plein de vie. Ils bavardèrent longtemps avant de s'acheminer à pied vers la gare. Et c'est en passant devant la Scala qu'elle eut, de manière fulgurante, l'impression d'une transformation irréversible : elle aurait voulu rester là pour toujours, aux côtés de cet homme, et ne plus jamais rentrer chez elle. Elle haussa les épaules et sauta dans un taxi. Quelques mois plus tard, ils se revirent et finirent par se marier.

Le troisième cas est celui d'un homme issu d'une vieille famille libérale qui, très jeune, avait adhéré au parti communiste. Il s'y était révélé, pendant ses années d'université, un redoutable agitateur et un bon dirigeant. Déclinant l'invitation à travailler dans le parti, il avait opté pour un poste de directeur de coopérative. Puis survint la crise du marxisme. Il ressentait l'impression de plus en plus nette de vivre une vie artificielle, de fonctionner sur des discours vidés de leur sens, sur des slogans. Il s'acheta une

115

grosse voiture, s'inscrivit à un cours de gestion des entreprises. On lui proposa la direction d'une petite firme de pelleterie. Pour réfléchir et pour sortir un peu du vieux monde, il partit pour les États-Unis en voyage organisé. Le jour du départ, il remarqua parmi les membres de son groupe une fille jeune, blonde, énergique, au visage légèrement hâlé. Il en fut frappé. Une fois aux États-Unis, il la perdit de vue, mais continua à penser à elle. Il la rencontra de nouveau à New York pendant le voyage de retour, et il lui sembla qu'elle l'avait reconnu et qu'elle le regardait avec sympathie. Encouragé, il fit des pieds et des mains pour trouver une place à côté d'elle, et y parvint. Ils se mirent à discuter, et continuèrent toute la nuit. Elle dirigeait une station de radio, s'occupait de publicité. Ce métier lui plaisait, elle le trouvait amusant, elle s'était rendue en Amérique en voyage d'information et en revenait avec un tas d'idées nouvelles. Il était enchanté, ému, il trouvait cette fille merveilleuse. Elle lui montrait la voie, et lui donnait la force de s'y engager. Et il pensait combien ce serait agréable de suivre cette voie ensemble, côte à côte, complices.

Dans ces trois cas, l'amour naissant est la modalité qui marque un passage vital, essentiel. Dans le premier, c'est l'intégration à la société japonaise. Dans le second, la découverte par le sujet de son autonomie professionnelle. Dans le troisième, la sortie d'une crise idéologique.

A mon avis, tous les cas d'amour naissant peuvent être étudiés de la même façon. Bien entendu, le changement n'est pas toujours radical et dramatique, comme ici. N'oublions pas que, le plus souvent, le processus ne se déroule pas en un seul acte, selon une trajectoire précise. Il est précédé de tentatives et d'errements, d'explorations qui se présentent comme des tentations érotiques, des béguins, l'intérêt subit pour une certaine personne. Pour qu'apparaisse un amour naissant bilatéral, les deux individus doivent se trouver dans le même état de recherche, en d'autres termes être disponibles. Ce qui n'est pas si fréquent, ni probable. Nous nous lançons généralement à la recherche d'un autre partenaire à la suite d'une déception amoureuse, c'est-à-dire, justement, lorsque nous ne sommes pas disponibles. Quand nous cherchons un substitut, une consolation ou une vengeance. Dans ces cas-là, il peut arriver qu'on se croie amoureux sans l'être vraiment. L'autre personne nous distrait, nous aide, nous permet de surmonter la solitude et la peine. Nous ne sommes pourtant pas en mesure de changer, nous n'avons pas l'énergie qui nous permettrait de créer une nouvelle vie.

Il se peut aussi que l'amour naissant n'arrive pas à maturation de lui-même — selon une évolution de développement interne — mais qu'il soit accéléré, stimulé de l'extérieur. Ceci se passe lorsqu'un seul des deux est amoureux et qu'il se consacre tout entier à la séduction de l'autre.

L'amour naissant a l'extraordinaire capacité de se communiquer à une autre personne ou, pour le moins, de l'influencer. Nous sommes tous extrêmement sensibles aux attentions, aux louanges, aux prévenances. Et une personne amoureuse se consacre totalement à nous, nous couvre de ses dons, nous donne le sentiment d'être quelqu'un de formidable. Si nous traversons alors une phase d'instabilité, de tensions avec les membres de notre famille, avec notre femme ou notre mari, si nous sommes las de la monotonie de la vie conjugale, professionnellement découragés, un tel comportement nous fait entrevoir une vie nouvelle et merveilleuse dans laquelle tous nos défauts seraient pardonnés, tous nos mérites reconnus et exaltés. Par ce mécanisme, la personne amoureuse peut déclencher en nous une révolte contre la vie que nous avons menée jusque-là, et faire naître l'espoir d'une mutation révolutionnaire et merveilleuse.

Si nous cédons à cette séduction, l'amour naissant prend le caractère d'une fugue, d'une évasion hors du monde. Nous abattons les obstacles, détruisons les relations existantes, mais ne sommes pas en mesure de reconstruire quoi que ce soit de solide. Nous éprouvons quelque temps un bonheur fébrile, mais la désillusion ne tarde pas à s'y infiltrer. Nous ne trouvons pas chez l'autre notre vérité, la force de réaliser une vocation authentique; nous avons simplement devant nous quelqu'un qui approuve, qui loue, qui flatte nos défauts et nos bizarreries, qui nous autorise à satisfaire les moindres caprices qui nous entraînent sur la pente du plaisir immédiat.

Il existe aussi de nombreux cas d'amour naissant partagé où chacun trouve en l'autre les clés de son propre épanouissement. Le mouvement de fusion s'avive alors, il est très intense, il y a enrichissement mutuel et réciproque. Mais les deux personnalités, leurs projets intimes, sont trop différents, incompatibles. L'adaptation réciproque en est rendue impossible. Chacun pousse l'autre vers un point de non-retour et il en résulte de l'humiliation, un asservissement, la perte de la dignité[1].

Il y a enfin des cas où deux individus, tout juste adaptés à leur entourage lorsqu'ils étaient insérés dans leurs familles réciproques, s'en détachent et s'unissent pour former un couple plus désadapté, plus déviant. Parce qu'ils accentuent leurs défauts respectifs au lieu de les compenser. Le fait que tout amour naissant se présente

---

1. Ce thème est développé dans *Le Choc amoureux.*

119

comme une porte vers autre chose ne signifie pas que tout amour naissant, même quand il est réciproque, soit fécond.

L'amour naissant réciproque est donc la reconnaissance de deux personnes qui se trouvent à l'état naissant, et qui entrevoient dans l'autre le moyen, la passerelle qui leur donnera accès à un projet de vie plus authentique, plus vraie, plus intense, plus adaptée à la période nouvelle, à leurs possibilités. Le résultat n'est pas acquis d'avance. Dans certains cas seulement, et à certaines conditions, ils réussiront à former une union durable et aux ambitions plus hautes. Ainsi se présente le processus de l'amour naissant, comme une entreprise à deux, intense et exaltante.

5

Deux amours

Quand nous sommes amoureux, nous nous voulons uniques, extraordinaires, indispensables aux yeux de l'être qui est pour nous unique, extraordinaire et indispensable. C'est pourquoi l'amour naissant est monogamique et ne peut être que cela. Parce qu'il est prétention de soi-même à l'extraordinaire, reconnaissance du caractère extraordinaire de l'autre, abandon à celui qui est seul capable de vous apporter le plaisir, la joie, la vie. Rien, ni personne, ne peut se substituer à l'être aimé. Le moindre détail, tous les détails de sa voix, de son corps, l'ensemble de ses gestes indiquent et symbolisent cette unicité. C'est chez lui, et chez nulle autre personne au monde, que se trouvent ces qualités infiniment désirables. D'où l'impossibilité absolue d'être amoureux de deux personnes en même temps.

Chacun d'entre nous éprouve de l'affection

pour un certain nombre de personnes : père, mère, frères, sœurs, amis. De même, un homme peut « aimer » deux épouses, et une femme deux maris. Chacun peut, en outre, s'éprendre d'un autre tout en conservant son affection à son partenaire. Il est, en revanche, impossible d'être simultanément amoureux de deux personnes différentes, car tomber amoureux signifie opérer une rupture, établir une discontinuité, une différence absolue ; placer l'une des deux au-dessus de toutes les autres, en faire celle qui ne peut se comparer à aucune autre.

Les données recueillies au cours de notre enquête, pourtant, semblent indiquer le contraire. Nombre de jeunes filles y apparaissent amoureuses d'un garçon réel auquel elles sont passionnément attachées et, dans le même temps, se sentent emportées par une passion pour l'idole lointaine qu'elles rêvent de toucher, d'embrasser, d'épouser. Ce fait est en totale contradiction avec la conception de l'amour naissant comme élection, préférence absolue, quasi monothéiste. Les deux amours, pour les jeunes filles que nous avons interrogées, se juxtaposent pacifiquement en dépit de leur incompatibilité.

Ceci signifie-t-il que notre conception de l'amour naissant est erronée ? Qu'il nous faut remettre en cause, radicalement, tout ce que nous avons écrit ? Pour répondre à cette question cruciale, observons d'abord que la coexistence de deux amours est possible seulement lorsque l'un des deux se porte vers un garçon « réel » et l'autre vers une idole lointaine. Aucune de ces jeunes filles ne nous a dit : « J'aime Paolo, je l'aime, je l'aime, je l'aime, Dieu que je l'aime ! » et, un instant plus tard : « J'admire Andrea, je l'adore, je suis folle de lui ! »

L'amour naissant pour des êtres proches, des êtres en chair et en os, en interaction réelle, reste pour elles monogamique. Il doit donc y avoir dans le type de relation particulière qu'elles entretiennent avec l'idole quelque chose de spécifique, quelque chose qui rend possible cette coexistence. Notons que l'adolescente aime l'idole d'un amour unilatéral, indépendamment de l'attention qu'elle en reçoit et, dans l'immense majorité des cas, du fait qu'elle en est totalement ignorée. Il se peut qu'elle ne rencontre jamais cet homme, qu'il ne lui accorde jamais l'ombre d'un regard. Certes, elle rêve de ses baisers, elle rêve d'un amour partagé. Ce rêve, certes, n'est pas une attente, ni une espérance, c'est tout juste une chimère. Ce n'est pas la force de l'espérance qui entretient, ici, la flamme amoureuse. Elle brûle d'elle-même, en dehors de la possibilité ou de la probabilité de trouver un jour une réciprocité.

Stendhal affirme que l'espérance est essentielle pour que se forme l'amour naissant. L'espérance de rencontrer la personne qui nous plaît, de susciter chez elle de l'intérêt, d'en être aimé à notre tour. Une raison d'espérer, si ténue soit-elle, suffit à faire naître l'amour. Même dans la passion la plus désespérée, la plus douloureuse, l'espérance doit obligatoirement accompagner la frustration. L'amoureux éconduit continue à espérer, malgré le temps qui passe, que son amour sera un jour payé de retour. Quand cette espérance s'évanouit, quand survient la certitude qu'il n'y a rien, absolument rien à faire, que l'autre ne nous aimera jamais, quoi que nous fassions, alors apparaissent la révolte, le renoncement, et quelquefois la haine. Tel n'est pas le cas des jeunes filles de notre enquête. Elles ne passent pas leur temps à se demander anxieusement si leur amour sera partagé, comme elles le font lorsqu'il s'agit du garçon « réel ». Et elles ne haïssent jamais leur amoureux idéal, qui pourtant les déçoit dans leur espérance.

L'amour pour l'idole, en outre, se place sur un plan plus élevé que l'amour pour le garçon « réel ». S'il advenait que l'idole leur apparaisse un jour en chair et en os et leur dise : « d'accord ! », l'amour pour le garçon réel en serait instantanément anéanti et il n'y aurait plus de place que pour lui, l'élu. Dans ce cas, et dans ce cas seulement, l'idéal et le réel coïncideraient et nous nous trouverions devant un amour total, absolu, dans lequel la personne aimée est véritablement l'unique, l'irremplaçable, celle qui ne peut se comparer à aucune autre.

Faut-il en déduire que nos adolescentes ne sont, en réalité, vraiment amoureuses que de l'idole? Que c'est là leur unique, leur seul véritable amour, et que l'autre n'est qu'un substitut, un pis-aller? Avant de répondre à cette question, étudions un cas concret.

1. Un cas

La fille dont il s'agit a éprouvé, quand elle avait douze-treize ans, une grande passion pour le chanteur Al Bano. Elle était folle de lui, sa chambre était tapissée de ses posters, elle ne se lassait pas d'écouter ses disques, rêvait de le rencontrer et fantasmait sur ce qui pourrait, alors, se passer. Cet amour dura plusieurs années. Tous les autres garçons, comparés au divin chanteur, ne valaient rien et elle ne leur prêtait pas la moindre attention. Puis, un jour, son intérêt faiblit, et son grand amour finit par s'évanouir. Les amours pour les idoles surgissent et disparaissent ainsi, sans angoisses, sans conflits, sans problèmes, parce que le processus se déroule tout entier à l'intérieur du sujet, sans que quiconque soit concerné. Le sujet n'a aucun rôle à assumer, fût-ce envers lui-même.

Dans le cas de cette jeune fille, l'intérêt pour

l'idole s'évanouit le jour où elle fait la connaissance d'un garçon en chair et en os qui se trouve
être, par ailleurs, une star locale. Très beau,
entouré d'une cour bourdonnante de filles et de
femmes qui se disputent ses faveurs. Grand,
brun, doté d'un physique d'athlète, danseur de
grand talent, propriétaire d'une voiture décapo-
table dans laquelle on le voit toujours en com-
pagnie de quelque jeune beauté et dans laquelle
toutes les autres rêvent de monter un jour. Dans
le quartier, tout le monde le connaît, tout le
monde parle de lui, et sa réputation de bourreau
des cœurs ne fait qu'ajouter à sa séduction. Notre
jeune fille l'observe de loin. Puis elle se met à le
désirer. Oublié, Al Bano! La voici toute à son
nouvel amour. Elle se consume pour lui, cherche
toutes les occasions de l'approcher et, enfin,
obtient de lui être présentée. Ils dansent ensemble, elle se montre pleine d'esprit, parvient à
attirer son attention. Puis il disparaît, l'oublie,
sort avec d'autres filles, mais elle, désormais
amoureuse, ne veut plus le lâcher, lance des
hameçons, et finit par le repêcher. Ils deviennent intimes. Pour se l'attacher, elle cède à tous
ses caprices. A la moindre de ses expressions, au
moindre de ces gestes, elle devine ce qu'il désire,
et s'exécute. De son côté, il lui dit qu'il ne l'aime
pas, qu'il veut simplement jouer à l'amour, et
qu'il lui plaît d'avoir une esclave. Il la trompe, la
met dans des situations humiliantes. Elle, par un

terrible effort sur elle-même, parvient à rester toujours souriante, douce, amoureuse. Elle supporte tout, et son amour s'accroît encore de son désir éperdu, forcené, d'être aimée en retour.

Jusqu'au jour où elle s'aperçoit qu'elle a gagné. Il lui dit qu'il l'aime, et c'est vrai. Il est, de fait, devenu gentil, prévenant, fidèle. Il la présente à sa famille, ils décident de se marier. Ils vivent ensemble, elle savoure le bonheur domestique quotidien, s'y laisse bercer quelques mois, puis commence à sentir le poids de la monotonie. Cet homme lui appartient, il est tout à elle, nul ne le lui dispute désormais. Mais il ne l'intéresse plus, ne la fascine plus comme avant. Elle ne ressent plus pour lui le désir fiévreux avec lequel elle a vécu pendant des années. Elle semble fatiguée, vidée de toute énergie. A la perspective de ce mariage, à l'idée de la maison qu'il leur faudra installer ensemble, elle éprouve un sentiment de panique, elle se sent prise au piège. Elle ne comprend plus pourquoi elle a tant désiré cet homme.

Alors même qu'elle ne parvient plus à voir en lui l'idéal qu'elle y avait aperçu jadis, une passion nouvelle s'empare d'elle. La télévision diffuse une série adaptée du roman *Les oiseaux se cachent pour mourir*. Le héros en est un prêtre, le Père Ralph, interprété par Richard Chamberlain. Le Père Ralph est un homme plein de bonté et de douceur, il aime sa vie durant la même femme, la suit, la soutient, sans cesse déchiré entre cet amour et son devoir envers Dieu. La jeune fille est fascinée, elle enregistre chaque épisode et se le repasse indéfiniment, bouleversée, en larmes. Elle lit et relit le livre, l'emmène partout avec elle. Elle cherche dans les journaux tout ce qui parle de Chamberlain, et s'en repaît avec avidité. Elle veut tout savoir de lui, s'il est marié, quelle vie il mène. Le jour où elle apprend qu'il vient de se fiancer à une actrice, elle fait une crise de jalousie. Puis elle cherche à le joindre, lui écrit une lettre qu'elle fait traduire par son fiancé, lequel ne la prend pas au sérieux, ne la comprend pas. Elle échafaude des plans pour se rendre à Los Angeles, où vit l'acteur, et, quand son fiancé lui propose une nouvelle fois de l'épouser, elle perd le sommeil, appelle l'idole lointaine comme un sauveur, une divinité. C'est le moment où coexistent les deux amours, celui pour le personnage réel et celui pour l'amant imaginaire.

Mais voici qu'un autre homme se profile à l'horizon. Un soir, au cours d'une fête, elle fait la connaissance d'un pilote de l'armée de l'air. Beau, grand, brun, avec une tête d'acteur hollywoodien et la prestance virile d'un guerrier, il traîne, lui aussi, tous les cœurs après lui. Ce qui la rend folle, surtout, c'est l'uniforme. Elle tombe éperdument amoureuse et son amour pour son fiancé se transforme en violent dégoût, répulsion profonde, indifférence totale. Elle ne veut plus le voir, ne répond plus à ses lettres ni à ses appels téléphoniques. Et le Père Ralph lui-même est oublié.

Se consumer, se consumer d'amour pour un objet qui en soit digne, voilà ce que veut cette jeune femme. Elle est animée par un désir d'amour incontrôlé. Mais cet amour ne s'accommode pas d'un objet quelconque, il ne se fixe pas sur un camarade d'école, il ne le transfigure pas, n'en fait pas une divinité. Il a besoin d'un objet adéquat, de quelqu'un qui lui soit indiqué par la collectivité. Comme la collectivité lui présente des chanteurs, des acteurs, son énergie amoureuse se porte sur l'un d'eux, le choisit et se donne à lui seul.

Même l'amour pour l'idole est ainsi élection, identification de celui qui, seul au monde, mérite amour et dévouement total. Le choix s'opère dans un groupe restreint, parmi ceux qui sont universellement admirés. L'amour naissant pour l'idole est la révélation d'une voie d'accès à une vie différente. Dans son rêve d'amour avec le chanteur Al Bano, elle entrevoit la possibilité d'une vie merveilleuse, tant sur le plan affectif que sur le plan social.

Puis elle rencontre la célébrité locale, et son amour pour Al Bano s'évanouit aussitôt. Il s'évanouit parce qu'il portait en lui une faiblesse : c'était un amour lointain, irréalisable. La jeune fille voulait un amour vrai, réciproque. Et même dans ce cas, elle ne choisit pas un objet quelconque, mais celui qu'elle voit au centre de sa petite communauté. Et elle l'aime ainsi comme elle avait aimé l'autre, en se vouant à lui totalement, sans réserve. Il devient, lui aussi, l'unique, celui qui vaut plus que tous les autres. Peut-être son projet est-il désormais différent. Elle veut être aimée de retour, et consacre toute son énergie à cet objectif.

Une fois qu'elle l'a atteint, elle s'aperçoit que cet homme ne l'intéresse pas. Nous ignorons ce qui la détache de lui. Peut-être, à force d'humiliations, a-t-elle accumulé trop de rancœur. Peut-être, en mûrissant au fil des années, s'est-elle aperçue qu'il était en réalité tout autre que celui qu'elle avait vu avec ses yeux d'adolescente. Peut-être encore la perspective d'une vie conjugale à ses côtés allait-elle trop violemment à l'encontre de la vie qu'elle avait d'abord imaginée dans ses fantasmes. Ainsi s'amorce le détachement. Pourtant, le besoin d'amour est toujours là, violent, incontrôlé. Tous les amoureux ne sont pas prêts à renoncer à leur amour, à cet état extraordinaire qui leur fait entrevoir la béatitude. Un nouveau personnage lointain vient alors combler ce vide. Quelqu'un à aimer, aimer, aimer, pour qui faire battre ce cœur toujours gonflé de passion. Comme tout amour est aussi une voie qui s'ouvre vers une vie nouvelle, ce nouvel amour sera également évasion, fuite loin de la stagnation de la vie conjugale, et rêve, et recherche d'une existence supérieure, idéale.

Ce qui caractérise ce cas est peut-être une exceptionnelle capacité de rêverie amoureuse. Comme un fleuve impétueux qui déborde sans cesse, en emportant tous les obstacles. Avec, simultanément, un irrésistible élan vital, une aspiration permanente, indomptable, à une vie plus élevée aussi bien émotionnellement que socialement. Et l'ultime choix lui-même, celui de l'aviateur, exprime ce besoin d'extraordinaire dans l'amour et à travers l'amour.

2. Les hommes et les dieux

A partir de ce cas, nous pourrons peut-être répondre à la question posée : comment peut-on être amoureux en même temps de deux personnes, de l'idole et du garçon « réel » ? De nombreuses jeunes filles, parmi celles que nous avons interrogées, sont poussées par un élan vital irrésistible à la recherche de l'amour et d'une vie portée par la passion. Elles cherchent un amant sur lequel déverser tout cet amour, et elles le cherchent au-dessus d'elles car il sera le tremplin, le pont grâce auquel elles pourront accéder à un type de vie supérieur. La vie qu'elles ont entrevue lorsqu'elles étaient enfant et qu'elles rêvent de retrouver. Cet amour est lointain et elles ont besoin — un besoin urgent, éperdu —, de réciprocité et de se savoir désirées, admirées, aimées.

Contrairement à ce qui se passe chez les garçons, leur sexualité n'apparaît pas comme séparée de l'amour. Elle se pare de désir amoureux, elle se présente comme un besoin de caresses, de tendresse, de passion. Si le garçon peut être séduit par la poitrine, les fesses, les jambes d'une femme quelconque, la sexualité de ces jeunes filles a besoin d'un individu qu'elles apprécieront dans sa globalité. Un homme qu'elles puissent aimer et dont elles pourront se faire aimer d'une façon ou d'une autre.

Les exigences triviales de l'érotisme se heurtent aux exigences extraordinaires de l'amour naissant. L'amour naissant cherche une voie définitive qui le mènera à un type d'existence supérieure, sur le plan émotif aussi bien que sur le plan social. C'est ce que l'idole pourrait lui offrir. Parce que l'idole vit une vie admirable, exemplaire, toujours nouvelle et pleine de poésie, comme elle en a maintes fois rêvé, comme elle le désire profondément et de toute son âme. Mais l'idole est un être lointain, inaccessible. Et l'amour naissant, ainsi, ne peut s'épanouir, réaliser ce à quoi il aspire : la fusion et la mutation révolutionnaire de l'existence. Il se transforme en rêve et en chimères. Et le rêve est un substitut, il n'est là que pour remplacer autre chose. Certes, le personnage continue à être aimé, mais son règne est menacé en permanence par l'apparition éventuelle d'un garçon « réel », capable de donner ce que l'idole ne donne pas.

Le garçon réel, lui, réussit à allumer la flamme de l'amour naissant qui apparaît comme un projet alternatif de vie réelle, par opposition au projet rêvé proposé par l'idole. Ce projet a pour lui la force de l'érotisme, le plaisir de l'étreinte, de la tendresse, de l'extase sexuelle. Il a contre lui la qualité de l'existence promise. Le garçon est loin de l'idéal. Il est toujours tout près de décevoir.

Dans le cas que nous venons d'exposer, les deux élans alternent selon les moments. Et ce n'est possible que dans la mesure où la fille finit toujours par choisir des idoles, des personnages publics, collectifs, des objets adéquats, haut placés. La plupart du temps, les autres filles, au contraire, investissent leur énergie amoureuse sur des objets trop inconsistants, inadéquats, incapables de les satisfaire, ou d'assumer un éclatant projet de vie. C'est pourquoi ces amours restent à l'état d'ébauche, de tentative, d'exploration. Une partie de l'âme de la jeune fille refuse toujours de s'y abandonner complètement. Elle n'y trouve pas un projet de vie — un projet définitif ; ils ne proposent pas un but suprême à son désir, quelque chose qui se situe au-dessus de tout. Ils ne deviennent jamais cette porte entrouverte sur un absolu devant lequel tout le reste paraît sans valeur. Il reste ainsi un espace vacant pour le rêve — pour l'idole. Avec l'idole, elles trouvent l'idéal, le reconnaissent, le cultivent dans le secret de leur âme.

L'amour pour l'idole, tout comme l'amour pour le garçon réel restent pourtant des amours naissants incomplets. Le premier, faute d'action, demeure une pure potentialité. C'est un amour fait de rêves, de fantasmes, d'aspiration à quelque chose qui pourrait arriver, mais qui ne s'est pas encore présenté avec la force bouleversante de la réalité. Comme l'alternative face à laquelle toute autre existence devient fragile, contingente. C'est ce qu'expriment les mots qu'elles emploient : si l'élu se présentait à moi et me demandait de le suivre, je ferais tout pour lui, absolument tout. J'abandonnerais mon père, ma mère, mes frères et mes sœurs, ma ville, ma maison, mon école, mes amis, mon fiancé, et jusqu'à mes vêtements. Je transformerais ma vie de fond en comble. Je partirais avec lui sans un regard en arrière, car j'aurais reconnu l'*appel*. Je serais prête à m'exiler, à affronter la mort. Comme Juliette, comme Héloïse, comme Madame Butterfly. Mais il ne s'est jamais présenté, peut-être ne croisera-t-il jamais mon chemin et ne m'appellera-t-il jamais.

A l'amour pour le garçon réel, au contraire, manque la certitude d'avoir atteint le but suprême. Certes, il est beau, et elle l'aime. Certes, il est doux de se serrer contre lui, excitant de foncer à ses côtés sur l'autoroute, et la vie semble triste quand il n'est pas là, joyeuse et vibrante d'émotions dès qu'il apparaît. Pourtant, aussi désirable et rayonnant soit-il, il ne représente pas ce qu'il y a de plus élevé dans l'existence, ce sommet qui se situe sur un autre plan dans les rêves des jeunes filles — le plan des dieux. Le petit ami, le fiancé, n'est qu'un mortel, le plus beau des mortels. Et elle se sent, obscurément, destinée à un dieu.

3. Modernité

Ce dédoublement entre l'amour pour l'idéal et l'amour pour la personne réelle est le produit d'une surabondance, d'un trop-plein d'érotisme qui cherche un objet sur lequel se déverser, et d'un haut niveau d'aspiration à une vie qui transcende l'ordinaire. Chez la femme, depuis des temps immémoriaux, les deux choses ont été liées, parce que sa vie a toujours été déterminée par la perspective du mariage. Tout, de nos jours, semble agrandi, exagéré à travers la lentille grossissante du cinéma et de la télévision, lesquels transmettent à la petite fille un modèle de vie extraordinairement élevé qu'elle intériorise, cultive en son cœur et voudrait ensuite réaliser. Jadis, quand les gens avaient leur village pour tout horizon et qu'ils n'étaient exposés qu'à un nombre limité de rencontres, l'idéal érotique et le niveau d'aspiration sociale étaient aussi moins élevés. Un homme vivant dans le même village pouvait alors plus facilement les incarner.

Ou peut-être, plus simplement, l'intervention de la famille et la pression sociale poussaient-elles la jeune fille à conclure — à « faire une fin », à se marier comme l'avaient fait avant elle sa mère et sa grand-mère, comme le faisaient toutes ses amies, puis à mettre des enfants au monde pendant qu'elle était encore jeune. Car, lui disait-on, les femmes vieillissent vite, plus vite que les hommes, et au-delà de vingt ans, aucun ne voudrait plus d'elle. Aucun ne l'épouserait, et elle deviendrait une vieille fille. Elle aurait ainsi gâché sa vie et la réputation de sa famille...

Cette pression exercée sur les filles pour qu'elles se marient de bonne heure et se hâtent de faire des enfants a existé, y compris dans les pays occidentaux, jusque dans les années soixante. Elle a commencé à diminuer avec les mouvements de jeunes, avec le féminisme, et n'a disparu qu'avec l'émancipation des femmes et la possibilité de mener une véritable carrière professionnelle.

Nos jeunes filles ne se trouvent plus dans cette situation. Il se peut qu'elles se marient, mais elles peuvent aussi ne pas le faire. Il est plus rare qu'elles se mettent en ménage et fondent une famille avant leur vingt-cinquième année. Elles ne se sentent pas pressées de conclure, poussées à faire une fin, à opérer des choix définitifs, irréversibles. Elles peuvent prendre leur temps, rêver, et aussi choisir tout en sachant que leur décision n'est pas irrémédiable, qu'elles pourront revenir en arrière.

Dans cette situation nouvelle où elles sont plus libres, disposant de plus de temps et confrontées à un plus grand nombre de possibilités, leur niveau d'aspiration tend à s'élever et ce dans tous les domaines : scolaire et universitaire, professionnel, amoureux. Il est normal que l'adolescente de quinze ans rêve d'un garçon plus haut placé (non pas au sens vulgaire de cette expression, mais en terme d'idéal) que son camarade de classe, lequel la laisse froide sur le plan érotique. Elle se sait physiquement désirable par les hommes de toutes classes, de tous âges et de toutes conditions. C'est ce que lui a enseigné la tradition, ce que lui a rabâché la culture de masse. L'univers du spectacle est un consommateur insatiable de filles jeunes et jolies. Elle sait aussi, désormais, que la beauté n'est pas un feu de paille. Qu'elle pourra encore être belle à trente, à quarante, à cinquante ans comme sa mère, et comme les stars dont les photographies s'étalent dans les magazines. Elle sait qu'elle pourra conquérir une position professionnelle ou artistique, grandir, mûrir avec les années, s'épanouir sur d'autres plans. Toutes choses qui lui donnent la force de rêver, de viser plus haut.

Ainsi, la pulsion érotique dirigée vers le haut, la tendance à s'éprendre d'un garçon que la collectivité lui désigne comme désirable, ne dépend pas seulement de la tradition. Elle n'est pas la simple survivance d'un temps où la femme ne pouvait améliorer sa condition qu'en épousant un homme d'une position sociale plus élevée que la sienne. De nos jours, et cela est nouveau, la femme a la possibilité de rêver et de se construire une vie meilleure. Petite fille, puis adolescente, on la lui a montrée à travers les modèles, les stars et les idoles que tous admiraient, qui représentaient l'idéal pour les membres de sa communauté. Elle est ainsi invitée à regarder vers le haut, à désirer ce qui se trouve au-dessus d'elle. Et, en même temps, on l'invite à prendre son temps, à ne pas se presser de choisir sa vie, à la garder ouverte à tous les possibles. Sur un terrain préparé par la culture traditionnelle, cette double pression produit une efflorescence de l'imaginaire, une surabondance de rêve, et pousse la jeune fille à tenter ce que nous avons appelé le vol nuptial.

4. Désillusion

Que se passe-t-il ensuite ? Quelle est la conséquence d'un niveau d'aspiration aussi élevé ? Nous avons déjà noté que nos jeunes filles étaient inquiètes, instables. Elles débordent de désirs dont elles entrevoient la satisfaction, s'enthousiasment avec facilité, comme elles se lassent tout aussi vite et en demandent toujours plus. Elles cherchent quelque chose de différent. Elles veulent avoir auprès d'elles, dans la réalité, quelqu'un qui leur fasse la cour, qui les attende devant leur porte, car cela leur donne un poids, un statut, le respect des autres — elles en ont besoin pour se sentir complètes.

Certaines sociétés, comme la société américaine, ont institutionnalisé un système qui permet aux filles d'organiser une rotation de leurs soupirants. C'est le *dating*. Aujourd'hui encore, les filles, à un certain moment, choisissent un *boy-friend* chargé de les sortir, de les emmener danser, de les inviter à dîner, de se tenir à leur service. Elles veulent le plus beau, le plus désirable aux yeux du groupe, le plus apprécié de leur petite collectivité. Si ce n'est pas possible, elles prennent celui qui arrive en deuxième

139

position. Cependant, elles établissent un clair distinguo entre les deux : sur le plan érotique elles se montreront à l'égard du premier coquettes et aguicheuses, et traiteront le deuxième comme un chevalier servant.

Au fond d'elles-mêmes, elles cherchent le grand amour, celui qui a une valeur, un mérite : l'homme avec lequel parcourir le long chemin de la vie. Et il leur semble parfois l'avoir trouvé. Elles se précipitent alors tête baissée, se donnent totalement, font leurs premières expériences sexuelles. Comme nous l'avons vu, il n'est pas facile, à cet âge, de faire un projet qui engage la vie tout entière. La route à parcourir est bien trop longue, et trop nombreux les stimuli qui viennent vous en distraire. Les errements, les explorations se succèdent, et rares sont les attachements définitifs.

On constate ainsi assez fréquemment, dans la vie d'une jeune fille, une période plus ou moins longue de désillusion. Elle n'a pas trouvé ce qu'elle cherchait, le garçon qu'elle fréquente ne se montre pas à la hauteur : il est trop jeune, trop banal. C'est un gentil compagnon, un ami, mais pas celui qu'elle espérait dans le secret de son cœur. Il lui est attaché, il l'aime, il est fidèle, mais ce n'est pas suffisant. Et les rêveries auxquelles elle s'abandonne ne lui suffisent pas non plus. Le temps passe, elle veut un être concret qui satisfasse les exigences de son érotisme, qui incarne ses aspirations, qui réponde à son élan vers le haut et soit en même temps un véritable amant pour former avec lui un couple idéal, pour vivre à deux un amour intense, ardent. Un homme avec qui vivre, manger, dormir, travailler, lutter, avec qui partager ses pensées, ses désirs, ses aspirations, avec qui affronter le monde.

Revenons aux résultats de notre enquête. Après une adolescence pendant laquelle ils ont été solitaires, peu et mal aimés, les garçons de vingt ans ont enfin trouvé une compagne, une fiancée, et la plupart d'entre eux sont contents, amoureux. Ils ne pensent pratiquement plus aux stars et, si on les y invite, répondent qu'ils en voudraient bien pour une aventure érotique. Leur amour, leur intérêt se porte vers la femme réelle qui se trouve à leur côté et dont ils parlent avec allégresse.

Les filles de cet âge, au contraire, sont souvent frustrées, déçues. Entre quinze et dix-huit ans elles débordaient de vitalité, de fantasmes érotiques, de rêves. Elles tombaient amoureuses des idoles de la scène et de l'écran et, simultanément, de leurs proches camarades. Elles étaient ardentes, versatiles, troublées. Les filles de vingt ans ont perdu cet enthousiasme, cette charge érotique.

Il y en a aussi parmi elles — très peu

nombreuses, en vérité — qui ont rencontré
«leur homme». Et ce n'est pas une star, ce n'est
pas un chef charismatique. Du point de vue
social, c'est un homme parmi d'autres. Pas pour
elles, car leur amour l'a transfiguré. Il est, à leurs
yeux amoureux, exquis et extraordinaire. Il est le
seul, l'unique, l'incomparable. Chaque fois
qu'elles tentent une comparaison, elles se félici-
tent de l'avoir trouvé, d'en être aimées. Elles ont
atteint leur but, elles ont trouvé celui qui leur
était destiné.

La majorité des filles de vingt ans n'est pas
pleinement satisfaite. Elles sont fiancées, certes,
et leur amour est payé de retour. Pourtant,
quand elles en parlent, on ne retrouve pas le
discours vibrant, passionné, de leurs seize ans.
Ni ces gestes incontrôlés, ces voix qui montaient
de plusieurs tons, ces yeux brillants, ces joues
rougissantes. Elles racontent platement : «On
s'est connus chez des amis, et on a commencé à
sortir ensemble. Notre relation a évolué petit à
petit.» Une relation qui évolue... pour peu, on
croirait entendre une psychologue ou une assistante sociale. «Mais tu l'aimes ?» «Oui, c'est de
l'amour, mais peut-être qu'il m'aime plus que je
ne l'aime. Quand je suis seule, il me manque
beaucoup. C'est tout de même lui qui me cherche
tout le temps.»

Ce thème de la lente évolution revient plus
d'une fois. «Au début, nous étions simplement

amis. Il était plus intéressé, et moi je n'étais pas pressée. Puis, à un moment donné, il y a eu une étincelle, et maintenant on apprend à se connaître.» Elles décrivent un amour tranquille, mesuré, fondamentalement passif, on sent qu'elles se laissent aimer, pousser par le courant, qu'elles essaient... «Il y a un mois, raconte une autre, j'ai fait une crise, parce que je croyais qu'il était seul à aimer.» Et elle ajoute quelque chose qui ferait le bonheur d'un théoricien de l'amour comme acte volontaire, rationnel, dépourvu de passion : «On a eu une discussion très franche, et on a décidé que si cette amitié devait se transformer en quelque chose de plus, on se mettrait ensemble. C'est ce qui s'est passé. Maintenant, on se sent bien, on s'entend assez bien.»

D'autres se montrent plus explicites. «Je suis avec lui parce qu'il m'a aidée à me sortir d'une sale histoire. Pour moi, ce n'est qu'une profonde amitié. Pour lui, c'est vraiment de l'amour.» Ou : «Je ne sais pas jusqu'à quel point je tiens à lui. C'est lui qui a le plus besoin de moi, c'est lui qui me poursuit. Mais quand il est loin, je sens qu'il me manque.» Ou bien : «Il réussit toujours à me toucher, il s'occupe de mes problèmes et il est auprès de moi dans les moments difficiles. Oui, je l'aime. Mais il m'aime plus que je ne l'aime.» Une autre : «Mon petit ami est au service militaire, il me manque beaucoup. De nous deux, c'est tout de même lui le plus amoureux. » Et une autre encore : « Il est vraiment emballé. Moi, je ne tiens pas à faire des projets d'avenir. » Et enfin, la plus courageuse : « La vérité c'est qu'entre mon fiancé et moi, si ça dure encore, c'est par ennui. »

Ces résultats ne sauraient être généralisés. Nous ne pouvons en conclure que toutes les filles ont, à vingt ans, une crise de désillusion. Il n'est pas déraisonnable de penser que de nombreuses jeunes femmes peuvent, plus ou moins tard, connaître une telle crise. Depuis leur plus tendre enfance, elles ont rêvé d'une vie amoureuse intense, elles ont cherché, pour l'aimer, un homme qui les fascine. Elles ont rêvé d'une idole. Elles ont construit un idéal de vie plein de passion, d'aventures et d'amour. Puis vient le moment des premiers bilans. Avec un niveau d'aspiration sociale et émotionnelle aussi élevé, il est logique qu'un certain nombre d'entre elles se sentent déçues.

5. *Le mensonge*

Nous avons vu des filles de vingt ans peu amoureuses déçues, qui sont fiancées et le restent mais sans trop de conviction. Que se passe-t-il ensuite ? Se peut-il qu'un certain nombre d'entre elles se marient sans être réellement amoureuses ? Les enquêtes que nous avons menées ces dernières années avec Di Fraia ne plaident pas en faveur de cette thèse. Les jeunes couples mariés ont généralement une bonne relation amoureuse[1]. J'ai toutefois rencontré des jeunes femmes qui allaient au mariage sans amour, mais ne se l'avouaient pas à elles-mêmes. Elles *veulent* être amoureuses, ne se résolvent pas à y renoncer, continuent à espérer le grand amour. Alors, elles le mettent en scène, se persuadent qu'elles sont en train de vivre une passion qu'elles n'éprouvent pas. Et elles y parviennent en niant la réalité, en faisant taire leurs doutes, en falsifiant leur expérience.

Quelques-unes se sont mariées ainsi. Petites filles, déjà, elles rêvaient d'un grand amour, d'un mariage en robe blanche, d'une grande fête avec tous leurs amis et toutes leurs amies — l'arrivée des invités, le crépitement des flashes, la somptueuse réception et la mariée, si belle, objet de toutes les attentions et de tous les applaudissements... Le mariage rêvé comme une cérémonie du couronnement, comme le passage officiel à la pleine maturité, à l'autonomie. Le mariage

---

1. Dans l'étude de G. Fraia, *La Passione amorosa,* il apparaît que les hommes, généralement, s'adaptent mieux au mariage que les femmes. Même après plusieurs années, si on se réfère au triangle de Sternerg, ils y trouvent des valeurs élevées. Les femmes, au contraire, semblent aux prises avec une impression d'aridité. Seuls un nouvel amour ou une nouvelle grossesse leur permettent de s'épanouir à nouveau.

comme entrée dans le monde des femmes qui ont une maison à elles, offrent des réceptions, se font appeler «madame». Le mariage comme une éclosion, l'épanouissement de l'amour, le symbole de l'état naissant de l'amour.

Chacune de ces jeunes filles pense qu'une fois mariée, elle verra son amour grandir, s'épanouir, et l'homme qu'elle a choisi réaliser le modèle idéal de l'époux-amant. Toujours amoureux, attentif, prévenant, offrant des fleurs, vous chuchotant des mots brûlants à l'oreille pendant que jouent les violons... le mari auprès de qui s'engager, main dans la main, sur le chemin qui mène à une vie d'aventures et de plaisirs.

Le mariage célébré, hélas, la transformation magique ne se produit pas. La passion ne grandit pas, l'époux ne se métamorphose pas en un irrésistible bourreau des cœurs. La jeune femme, ayant atteint son objectif, se fait passive, et attend. Elle abandonne tout effort pour idéaliser le monde en chassant de son esprit les difficultés et les désillusions, elle n'attend plus qu'un miracle. Et elle découvre que, vivant désormais ensemble, ils n'ont rien de plus à se dire qu'auparavant, que les heures qu'ils passent en tête à tête semblent interminables, qu'ils s'ennuient. Chacun se dit que l'autre a menti. Apparaissent la déception, la colère, les reproches, les disputes, les récriminations, les accusations. Après quelques mois, un an, on entame les procédures de divorce.

6. *L'arrimage*

Les jeunes gens auprès desquels nous avons mené notre enquête jusqu'ici sont des étudiants, ils n'ont pas encore une profession et une véritable identité sociale. Leurs amours ont le plus souvent un caractère exploratoire, et c'est logique. Obtiendrons-nous un tableau différent avec des jeunes des deux sexes bien intégrés dans la société par le biais d'une vie professionnelle intéressante et prometteuse ? La femme, aujourd'hui, aspire à une vie professionnelle aussi riche que celle de son compagnon. Étudions donc le cas de jeunes femmes ayant réalisé cet idéal. Les hommes aspirent à des carrières stimulantes et nouvelles. Voyons ceux qui ont réussi à s'y engager. Examinons, enfin, les couples dont les deux partenaires sont dans cette situation et ont l'intention de se marier. C'est ce que nous avons réalisé à travers une petite enquête auprès de trente jeunes femmes et de trente jeunes hommes sélectionnés parmi ceux qui exercent un métier moderne, dynamique, dans les secteurs de la mode, du journalisme et de la télévision. Les jeunes femmes ont toutes entre vingt-cinq et trente ans, et les hommes sont plus âgés de quelques années.

Tous ont dépassé le stade de la recherche d'une identité sociale, professionnelle et amoureuse. Quelques années plus tôt, ces jeunes femmes et ces jeunes hommes étaient encore étudiants, faisaient encore des rêves et des projets d'avenir, ignoraient quelle sorte de métier ils exerceraient et dans quel domaine ils tenteraient de réussir. Tout était encore ouvert, indéterminé. Dans cette situation, il y avait peu de chances que se forme en eux un projet bien défini. Et l'amour naissant, de notre point de vue, doit générer un projet de vie, ou tenter de le faire. Aujourd'hui, ils ont trouvé un métier et s'en satisfont parce qu'il est moderne et dynamique : ils voient se profiler devant eux une perspective de carrière. Ils sont par ailleurs inscrits dans une réalité économique au sein d'une entreprise, ils ont choisi une ville où s'installer, ont des amis, un environnement social dans lequel ils sont intégrés, stabilisés. Toutes conditions qui devraient les porter à des rêves moins éthérés et vers des aspirations plus concrètes, des projets réalistes et réalisables, et favoriser, de même, la naissance d'un amour susceptible d'apparaître comme définitif. Un nouvel amour ou peut-être un amour existant, mais qui passe du stade de l'exploration, de la recherche, de l'oscillation entre l'imaginaire et le réel à celui d'un investissement raisonné et confiant.

Les résultats de notre enquête confirment cette hypothèse. Quand, pour les filles comme pour les garçons, ces conditions — travail, intégration sociale, carrière — sont réunies, la « crise de la vingtième année » est surmontée. Ces jeunes femmes sont désormais, dans la plupart des cas, certaines de leur amour. Les deux racines, l'idéal et le réel, se sont rejointes ou, mieux, ont trouvé leur *modus vivendi*. La passion pour l'idole a disparu, ne laissant qu'un souvenir attendri de ces emballements d'adolescentes. Certes, on aime toujours les stars, mais elles ne remplissent plus votre vie, elles ne se substituent plus à la réalité. Ces jeunes femmes, par contre, parlent avec douceur et passion de l'homme qu'elles ont décidé d'épouser. A quelques très rares exceptions près, on ne trouve plus chez elles la moindre trace de déception, de frustration, de sentiment d'échec ou même d'incertitude.

Une différence subsiste, toutefois, avec leurs compagnons. Ceux-ci, qui se sentent désormais aimés, et ont accepté l'idée du mariage, ne parlent plus d'amour comme ils le faisaient quand ils étaient plus jeunes. Ils sont satisfaits, tranquilles, apaisés en quelque sorte, pour ne pas dire rassasiés. Si on les invite à parler de leurs amours de jadis, ils expédient le sujet en quelques phrases, comme s'ils ne souhaitaient pas se remémorer et revivre les sentiments d'alors. Ils sont concentrés sur le présent, sur le travail, sur la carrière. Ce qui ne les empêche pas de se passionner dans d'autres domaines : les sports, le tennis, le golf, l'économie, la politique, la finance ...

Pour les femmes, en revanche, à fonction égale ou à profession équivalente, l'amour occupe toujours une place importante. Elles évoquent avec délicatesse ces premiers amours dont, souvent, elles n'avaient pas saisi la profondeur et la force. En ce temps, elles prenaient, laissaient, changeaient, décidaient, et semblaient absolument maîtresses de leurs sentiments et de l'univers. Avec le recul des années, elles s'aperçoivent qu'elles n'ont pas vécu en rêve, mais à travers une rencontre dans la réalité, l'expérience la plus importante de leur vie. En fait, elles revoient avec une infinie tendresse le visage, les yeux et le sourire d'un garçon croisé au cours d'un été et avec lequel elles n'ont même pas échangé un baiser, qu'elles ont peut-être, alors, traité par le mépris.

Souvent, l'homme qu'elles s'apprêtent à épouser est quelqu'un qu'elles ont connu très jeunes, qu'elles ont perdu de vue puis retrouvé. Elles ont dû, à leur corps défendant, découvrir en lui ce qu'elles avaient d'abord refusé d'y voir. Comme si l'idéal, distinct dans un premier temps, s'était peu à peu incarné sous les traits d'un être réel, en un amour qui grandit et se fortifie de lui-même.

Pour les garçons, qui ignorent l'amour pour les idoles et chez qui l'idéal n'est pas distinct du réel, l'amour naissant survient comme une transfiguration de ce qui existait depuis le début. La gamine revêche et un peu maladroite en est divinisée à faire pâlir l'éclat des stars de l'écran. Ces dernières gardent tout leur attrait érotique, mais c'est elle, et elle seule, qui incarne toutes les perfections et provoque le divin bouleversement de l'amour.

Chez les filles, au contraire, subsistent l'attente et le rêve. Le garçon réel, en chair et en os, ne semble pas en mesure de s'approprier l'éclat divin de l'idole. Ou plutôt, cet éclat apparaît, disparaît, réapparaît. C'est avec le temps seulement que se réalise le miracle, l'incarnation. Ce visage aux traits quelconques, petit à petit, va révéler sa vraie nature. C'est comme un diamant brut, un caillou blanc qui, rayé, laisse entrevoir la splendeur du trésor qu'il renfermait puis, après qu'on l'a taillé, se révèle d'un éclat incomparable qui vous ravit le cœur. Ainsi, dans le souvenir de ces jeunes femmes, ne restent du passé qu'un tout petit nombre de pierres brillantes. Et parmi celles-ci, la plus précieuse, celle de l'homme qu'elles continuent à aimer.

6

Amours au masculin et au féminin

1. *Séduction*

Nous avons découvert que les femmes, au cours de leur enfance et de leur adolescence, présentent un certain type d'amour pour un être lointain qu'elles continuent à aimer, à désirer, et auquel elles restent passionnément attachées, même quand cet amour n'est pas payé de retour. C'est, dans sa forme la plus simple, l'amour pour la star, pour l'idole que l'ensemble de leur collectivité leur désigne comme l'être le plus beau, le plus admirable, le plus désirable. Un amour qui se juxtapose parfois à d'autres attachements plus concrets, comme l'idéal se juxtapose au réel, le rêve et la soif d'absolu à tout ce que la vie peut ensuite offrir de concret. Un désir qui ne se traduit pas par des tourments parce qu'il parvient, en quelque sorte, à s'autosatisfaire sous forme de fantasmes, de réalisation hallucinatoire. Grâce à lui, la femme est heureuse d'aimer, elle se sent enrichie par cet amour, même s'il n'est pas partagé, et de ce fait ne cherche pas à lutter contre lui, à s'en défaire. Au contraire, elle l'accueille, l'accepte, le cultive. Même frustré de l'impossible réciprocité, cet amour ne se transforme pas en haine, en désir de vengeance, il tend même à s'épurer, à se spiritualiser, à apparaître de plus en plus comme de l'adoration.

La femme va à la recherche de l'amour, accueille avec joie son amour naissant. L'homme, non. L'homme ne rêve pas, n'attend pas l'amour, ne construit pas dans son esprit un idéal de vie amoureuse qu'il chercherait ensuite à atteindre, à concrétiser. L'amour naissant se manifeste chez lui comme une force qui l'envahit de l'extérieur, comme une prise de possession qui détruit sa volonté, sa liberté, et contre laquelle, par conséquent, il sera tenté de se défendre. Nous avons trouvé l'écho de ces craintes dans les théories masculines de l'amour. Pour Denis de Rougemont, le désir amoureux tend vers la mort, pour Freud il est une régression infantile, pour Girard la perte de soi-même. Pour Ortega[1], une imbécillité temporaire, une angine psychique, et pour Fromm[2], la perte de l'individualité.

---

1. J. Ortega y Gasset, *Échantillon d'amour*.
2. Erich Fromm, *L'Art d'aimer*.

C'est pourquoi l'homme ne se donne pas. Il se sent emporté par une force intérieure contre laquelle il lutte, à laquelle il tente de résister. Il est comme un prisonnier qui ne songe qu'à s'évader. Dans son livre *Un amour,* Dino Buzzati[1] raconte les moments où il lui semble que son amour pour Laide est mort. En s'éveillant, un beau matin, il constate la disparition de ce besoin obsessionnel, lancinant, de la voir. Alors, pendant un court instant, il se sent libre, heureux, comme s'il venait d'échapper à un piège épouvantable. Cette liberté hélas ne dure guère. Le désir revient bientôt le tourmenter.

Pour se défendre de leur amour, surtout quand il n'est pas totalement partagé, les hommes cherchent à dévaloriser la personne aimée. Ils lui trouvent des défauts physiques, échafaudent les plus sombres hypothèses. Pour justifier le renoncement, ils donnent libre cours à leur jalousie. Acharnés à la rabaisser, à la diminuer, ils annulent la transfiguration positive. Parmi tous les exemples de ce processus qui nous ont été offerts, le plus typique est peut-être celui qu'on trouve dans les rapports de Proust avec Albertine. Proust est follement attiré par Albertine, mais il ne cesse de douter d'elle, il est obsédé par son homosexualité, par son mystère, par ses mœurs dissolues. Son amour ne peut se

1. Dino Buzzati, *Un amour.*

155

défaire de cette totale ambivalence. Le processus de transfiguration, sitôt entamé, en est entaché, détruit, abîmé. Proust ne parvient pas à être réellement amoureux d'Albertine alors que la flamme de l'amour naissant ne cesse, en lui, de clignoter[1].

L'attitude mentale de la femme est diamétralement opposée. Elle attend l'amour, le désire, l'accueille, se laisse emporter, se donne, met tout son être en jeu. Quand elle découvre que tel ou tel homme lui plaît, quand elle sent qu'elle l'aime, elle ne fuit pas, bien au contraire elle se jette en avant. Et s'il ne lui prête nulle attention, s'il est avec une autre, elle ne renonce pas pour autant. Elle cherche à se rapprocher de lui, à jouir de sa présence. Elle ne craint pas que cette proximité avive son désir, le fasse exploser. Elle en assume le risque, elle accepte de tomber à la merci de son amour. Aussi, même si elle éprouve de l'envie ou de la jalousie pour ceux qui l'entourent, elle n'use pas de ces sentiments pour refouler cet amour au plus profond d'elle-même. Elle les fait taire, les met de côté. Elle se concentre sur son objectif : lui, et lui seul.

On parle souvent de la séduction masculine. De Don Juan, de Casanova, des play-boys. Tous ces séducteurs ne font que profiter de la dispo-

---

1. Le fait que l'amour pour Albertine soit, de la part de Proust, la transposition d'un amour homosexuel, ne modifie en rien cette attitude de défiance et de dénigrement.

nibilité féminine à l'amour. Don Juan, lui, n'est absolument pas disponible à l'amour. Il cherche la conquête, le rapport sexuel. Alors, froidement et sans le moindre scrupule, il dit à la femme qu'il l'aime, il lui propose de l'épouser et l'amène à se donner à lui. Une femme est capable de courtiser un homme pendant des années et des années, et de rester près de lui sans cesser de l'aimer en silence. Maintes secrétaires aiment ainsi leur patron. En l'absence de tout rapport érotique, elles se contentent de lui être proches, utiles, indispensables, en échange de sa gratitude et d'un sourire de temps à autre. Et il s'agit bien, là, d'un amour naissant véritable, qui pourrait en un instant basculer dans l'érotisme et la plus brûlante sexualité si l'autre s'avisait de répondre à leur attente, de leur dire : « je t'aime ».

On retrouve ici la situation de nos adolescentes envers leurs idoles. Un amour qui tourne à l'adoration sublimée, mais qui reste prêt à exploser pour peu que s'en présente l'occasion.

La femme amoureuse cherche ainsi, avant tout, à approcher l'objet de son désir, à entrer en contact avec lui, à se faire remarquer. C'est ce que font les adolescentes lorsqu'elles se rendent aux concerts de leurs idoles. Elles occupent les premières places, se penchent en avant pour qu'on les voie. Et c'est encore ce qui se passe lorsque, plus tard, elles tombent amoureuses de quelqu'un. Elles cherchent d'abord à établir un lien, à être présentes aux yeux de l'élu, à se rendre utiles, indispensables. Avec une infinie patience, elles se maquillent, se coiffent, déploient des trésors d'élégance vestimentaire en s'efforçant de deviner ce qui pourra lui plaire. Elles lisent les livres qu'elles croient susceptibles de l'intéresser et dont elles pourraient discuter avec lui.

Les choses peuvent continuer ainsi pendant des années, alors qu'elle partage déjà la vie de cet homme mais veut conquérir son amour total, définitif. Elle pleure, mais ne rend pas les armes. Elle s'escrime, s'acharne, fait feu de toutes ses qualités, de tout son savoir-faire. Elle est toujours bien mise, souriante, sereine. Elle lui offre une image de la perfection. La maison est bien tenue, elle déploie des talents de cuisinière pour lui mitonner les plats qu'il préfère, accueille joyeusement ses amis, fait tout ce qu'il faut pour les mettre à l'aise. Elle se montre adorable avec ses beaux-parents et avec tous les membres de sa famille. Jamais un moment de faiblesse ou d'énervement. Elle est pétulante, toujours prompte à le surprendre, à le distraire : auprès d'elle, il ne s'ennuie jamais. Elle devance ses désirs, les satisfait sans discuter. Elle veut susciter son estime, son admiration, elle veut qu'il pense d'elle : « Vraiment, quelle femme extraordinaire ! » C'est la séduction de la femme amoureuse, la conquête de l'amour : une activité qui ne laisse place à aucune autre, un don de soi total, un objectif unique qui prime sur tout le reste ; une période de vie intense, de plénitude, sur laquelle plane comme une ombre, toutefois, la crainte de l'échec avec des moments d'inquiétude, d'angoisse, de désespoir. Il est rare que la femme renonce. J'en ai vu qui s'étaient comportées comme des esclaves, ou comme des geishas, à l'égard d'un homme qui ne cessait de leur dire qu'il n'était pas amoureux, qu'il n'avait nulle intention de les épouser, et qui versaient chaque nuit des larmes de désespoir avant de se ressaisir et de repartir au combat.

L'homme se laisse circonvenir, charmer par cet amour, par tant de vitalité, par cet art de le surprendre, par cette capacité à aimer. Il se sent unique et irremplaçable. Elle finit par lui paraître elle-même unique et irremplaçable. Et le passage à l'amour naissant, à ce stade, est facile. Beaucoup d'hommes tombent ainsi amoureux.

Beaucoup, mais pas tous. Il y a aussi des cas où l'homme s'abandonne à cet amour, se laisse bercer, en éprouve une profonde reconnaissance et finit par se marier, mais sans être amoureux pour autant, sans que se produise en lui le mystérieux déclic de l'amour naissant. Certes, il trouve sa femme formidable, lui écrit des lettres pleines de tendresse, se montre dévoué et attentionné, bien qu'il n'ait pas ressenti enfouie en lui-même la morsure brûlante de la passion amoureuse, la divine folie qui transfigure. Il l'estime, l'apprécie, l'admire, chante ses louanges, nourrit pour elle une affection véritable, mais ne ressent pas en sa présence l'inquiétude, l'extase et les tourments de la passion. Elle possède toutes les vertus, elle est la meilleure des épouses, mais elle n'est pas devenue pour lui, ne serait-ce qu'un instant, une déesse.

Les femmes, quand elles se vouent corps et âme à cette conquête, ne s'aperçoivent pas toujours que le passage à l'amour naissant n'a pas eu lieu. Elles ont l'impression que leur amour est irrésistible. Et, par ailleurs, elles confondent l'affection profonde qu'elles font naître avec la passion amoureuse. Ceci me fait penser à une jeune femme qui avait connu son mari alors que celui-ci sortait tout juste d'une grave déception sentimentale. Elle en était vraiment amoureuse et s'était donnée à lui avec tout l'élan d'une âme généreuse, le présentant à sa famille et à ses amis, l'entourant de mille soins et de mille prévenances, lui offrant un havre de sécurité, la chaleur et, le soutien affectif et social qui lui manquaient. Pourtant, l'homme ne ressentait pas la passion torride qu'il avait connue pour son premier amour, la beauté de sa femme ne lui faisait pas perdre la tête. Il se l'expliquait par le fait que, cette fois, il n'y avait pas d'obstacles, que tout se passait bien. Et il se répétait que le véritable amour, celui sur lequel il était possible de bâtir une vie à deux, devait justement être ainsi : profond, serein et sans folie.

Ils se fiancèrent, et il n'y eut jamais entre eux l'ombre d'une fâcherie. Puis ils se marièrent, et eurent deux enfants. C'est alors que le mari commença à se sentir attiré par d'autres femmes. Il les regardait toutes. Leur corps, leur sensualité le fascinaient. Il les regardait, et fantasmait. Il se mit à fréquenter des prostituées en pensant que tout cela n'était qu'un besoin sexuel, sans implication affective. Il lui arriva, à plusieurs reprises, de s'enticher de jeunes femmes rencontrées dans le cadre de sa profession. Il ne céda jamais à ces tentations, mais il avait chaque fois l'impression de renoncer par sens du devoir. Sa femme l'avait séduit et conquis, mais lui-même n'avait pas atteint le but, le sommet. Il poursuivait sa quête.

La capacité d'aimer à distance sans être payé de retour, avec un espoir ténu — presque un rêve — de pouvoir l'être un jour, est parfaitement illustrée par ce deuxième cas. Lui, était professeur de lycée, jeune, ardent, promis à une brillante carrière. D'ailleurs, il n'avait enseigné au lycée que durant une année avant de gagner l'université, mais il avait produit sur elle une impression indélébile. Elle pensait encore à lui des années plus tard, dans ses rêves, et quand elle voyait sa photographie dans les journaux. Cette

161

fille avait une vie érotique intense. La nature l'avait gratifiée d'une beauté provocante dont elle usait sans retenue pour conquérir les hommes dont elle s'amourachait. Pour le plaisir de la conquête, pour arriver à ses fins. Elle n'avait pas la moindre inhibition sexuelle.

Elle le revit bien des années plus tard et aussitôt, n'eut plus qu'une idée en tête : faire sa conquête. Elle y consacra toute son énergie, voyageant sans cesse, le suivant partout où il allait, dépensant des fortunes en vêtements, louant une maison et la meublant entièrement. Il lui résistait et, quand il lui arrivait de céder, reprenait aussitôt ses distances et disparaissait. Pendant les dix années qui suivirent, ils n'eurent que des rencontres amoureuses occasionnelles. Elle persistait pourtant à l'attendre, à le poursuivre. Elle lui envoyait des fleurs, des cadeaux, lui téléphonait quand elle apprenait sa présence à tel ou tel congrès — toujours avec tact et discrétion. Le plus grand amour de cette femme ardente, sexuellement libérée, fut cette relation quasiment platonique, ce long rêve jamais réalisé.

Enfin, un troisième cas. Il était directeur de l'entreprise dans laquelle elle travaillait. Marié, il lui faisait une cour timide et discrète. Il était prudent, timoré. Leurs échanges se limitaient à de furtifs serrements de mains, à des regards intenses, et à quelques baisers. Jusqu'à une brève rencontre amoureuse. Elle l'attirait par son inquiétante beauté juvénile, mais il n'était pas amoureux. Elle, oui. Quand il s'éloigna, elle continua à lui téléphoner, à lui écrire, elle lui rendit visite. Redoutant les commérages et ne voulant pas se compromettre, il chercha à l'éviter, à la fuir. Quand elle arrivait, il s'esquivait, mais sans avoir le courage de lui dire clairement qu'il ne l'aimait pas, qu'il ne voulait plus la voir. C'eût été, pourtant, le seul moyen de l'amener à renoncer. La jeune femme le poursuivit ainsi pendant des années, vivant de désir fiévreux, de rêves, d'attente, jusqu'aux limites de la folie. Cet amour prit brutalement fin le jour où, enfin, elle obtint une franche explication au cours de laquelle il trouva le courage de lui dire qu'il ne l'aimait pas. En réalité, elle s'était déjà préparée intérieurement à cette conclusion par des années d'attente et de frustration. Car elle avait trop auguré de ses propres forces, elle avait trop voulu donner, ignorant ainsi une limite invisible que nul ne doit jamais franchir, un *point de non-retour.*

Au-delà de ce point de non-retour, quelque chose se rompt en nous. Nous continuons à aimer, mais l'amour a perdu sa valeur morale, sa légitimité. Nous perdons toute dignité à nos propres yeux. L'état naissant de l'amour n'existe plus, seul agit encore en nous le mécanisme de l'échec[1]. Si nous atteignons notre but, nous nous apercevons qu'il ne nous intéresse plus.

2. Le futur

Cet amour féminin total, ce don inépuisable, se transforme lorsqu'il touche au but en désir d'exclusivité et d'absolu. La femme qui, des mois et des années durant, n'a rien demandé et s'est attachée à satisfaire tous les désirs de l'homme, exige de lui dès qu'elle se sent aimée un don aussi total. Elle a donné beaucoup, elle demande désormais beaucoup, parce que le moment est venu de réaliser les rêves, le projet qu'elle a si longtemps caressés en pensée. L'amour de son compagnon est la porte dorée qui s'ouvre vers cette deuxième vie. Et elle veut la vivre pleinement, comme elle en a rêvé.

L'homme, souvent, reste stupéfait devant ce changement d'attitude. Il s'était habitué à une femme qui ne demandait rien, qui ne faisait que donner, qui se montrait toujours prête à satisfaire le moindre de ses désirs, le plus futile de ses caprices. Et voici qu'il la découvre habitée par un projet précis qu'elle entend réaliser à fond. Il est désemparé. La femme, de son côté, ne comprend

---

1. Sur le mécanisme de l'échec, cf. Francesco Alberoni, *L'Érotisme*.

pas pourquoi cet homme qui prétend l'aimer n'est pas disposé à se jeter dans le nouvel amour avec l'élan, l'oubli de soi, la frénésie dont elle a elle-même fait preuve. L'homme s'attend qu'elle continue à donner comme elle l'a fait jusque-là et la femme qu'il donne à son tour, et de la même façon. C'est un moment périlleux dans la vie d'un couple : celui où deux schémas mentaux différents se télescopent, donnant naissance à une frustration mutuelle et symétrique.

Je voudrais, là aussi, évoquer deux cas. D'abord, celui d'une secrétaire qui travaillait pour un homme politique promis à une grande carrière. Elle s'était éprise de lui sans rien en laisser paraître. Elle avait gagné sa confiance, s'était faite la gardienne de tous ses secrets, commandait à ses collaborateurs et l'accompagnait dans tous ses déplacements. Comme elle était amoureuse, elle l'observait sans cesse, devinait ses pensées les plus cachées, prévenait ses désirs, anticipait sur ses décisions. Elle connaissait parfaitement tous ses collègues, savait distinguer ses amis de ses adversaires. Elle n'avait aucune vie personnelle et se consacrait totalement à lui, avec une fidélité absolue. Elle exerçait son contrôle sur tous ceux qui l'approchaient, influençait toutes ses décisions.

Il y avait pourtant une limite, une barrière infranchissables : il ne l'avait jamais accueillie dans son lit. L'épouse, la famille étaient intouchables. Grâce à cette limite, à ce tabou, la relation put se poursuivre pendant toute une vie.

Pendant de nombreuses années, le deuxième cas se présente, comme le premier : lui est un metteur en scène célèbre, riche, puissant, et marié. Elle est toute jeune lorsqu'elle fait sa connaissance. Elle organise son bureau, la production, les relations internationales, les contacts avec la presse, tout. Comme elle est amoureuse, elle l'étudie, apprend à le connaître, jusqu'à prévoir ses pensées, ses désirs, ses moindres décisions. Elle se montre très gentille et respectueuse avec l'épouse. La relation se poursuit sur ces bases des années durant, en l'absence de tout érotisme. Ils voyagent tous les trois ensemble, elle toujours aussi attentive, enthousiaste, infatigable. Ils deviennent intimes, complices, jusqu'au jour où, un peu par gratitude de sa part à lui, un peu par désir, un peu à cause de la familiarité qui s'est instituée entre eux, ils font l'amour.

A partir de ce moment, pour lui, tout devrait continuer comme avant. Pour elle, tout est changé. Une révolution s'est produite. Désormais, elle peut dire : «Je t'aime, je t'aimais déjà, je n'ai jamais désiré que toi!» Elle peut crier sa joie et réaliser pleinement son projet : créer une nouvelle vie à deux.

Il voudrait que leur relation reste secrète. Ne travaillent-ils pas ensemble depuis des années?

Pourquoi ne pas y ajouter le plaisir érotique sans tout remettre en question? Mais elle ne peut plus revenir en arrière. Elle était jusque-là vibrante, téméraire, pleine de projets, de rêves. Et voici que cet univers intérieur, si riche, a la possibilité de se révéler. Le garder secret reviendrait à l'étouffer, à l'anéantir.

Socialement aussi, tout est désormais différent. Elle ne peut plus être la secrétaire efficace que tous respectent et admirent. Elle est devenue la maîtresse, critiquée, persiflée. Si elle accepte ce qu'il lui demande, elle y perdra sa dignité sociale, mais elle renoncera, surtout, à son rêve le plus profond, à l'essence de sa vie, à son avenir.

Nous l'avons déjà dit : l'amour naissant n'est pas un sentiment, une émotion. C'est la destruction d'un monde émotionnel et social et la reconstruction d'un monde nouveau, plus élevé. La femme anticipe plus que l'homme, sous forme de rêve, d'idéal, sur ce projet. Elle est ainsi plus disposée à s'y investir, à donner, pour le réaliser.

Aucun être humain ne peut vivre sans projet d'avenir. La femme — jusqu'à nouvel ordre — se préoccupe de l'avenir de la vie affective, de la vie de couple, beaucoup plus que l'homme. Les exemples cités nous montrent qu'elle est prête à endurer un présent douloureux, oppressant, frustrant, du moment qu'elle peut imaginer un avenir radieux. Quand le couple commence à exister, ce qui est pour l'homme un point d'arrivée est pour elle un point de départ. Sa vitalité se déchaîne pour imaginer la maison qu'ils habiteront, leur quotidien, les moindres détails de leur vie commune, les voyages, les sports, les vacances, les rencontres avec leurs amis. Et si un enfant vient à naître, il est le prétexte à de nouveaux projets. L'amour, chez la femme plus encore que chez l'homme, est un voyage chargé d'émotions vers un but, vers l'avenir.

3. *Séparation*

Les femmes, à notre époque, et dans cette société, veulent rencontrer un homme de valeur, qui soit admiré par la communauté, et sont prêtes à se joindre aux autres dans leur admiration. Les hommes n'en demandent pas tant. Ils veulent se sentir valorisés, admirés. C'est pourquoi ils s'intéresseront facilement à une fille qui se trouve à leur niveau ou à un niveau inférieur. Ils se sentiront mal à l'aise, en revanche, avec une femme qui occupe une position plus importante. C'est ce que nous montrent les adolescents si peu sûrs d'eux-mêmes face aux stars, aux idoles.

Les jeunes filles construisent donc, en pensée, un modèle d'homme idéal. Il devra être célèbre, apprécié, et exceller en quelque domaine. C'est l'aspect social, sur lequel nous avons tant insisté jusqu'ici. Il y a aussi un aspect intime de cet idéal : sa personnalité, sa façon de penser, de se comporter dans l'existence. Il doit y avoir, à côté de l'excellence publique, une excellence privée. Nos jeunes filles, quand elles observent leur chanteur ou leur acteur favori, étudient de très près son comportement, lisent ses interviews, veulent tout savoir de lui, parce qu'elles tiennent à le connaître de la façon la plus intime. Et elles s'attendent qu'à cette excellence sociale correspondent d'extraordinaires qualités humaines. Il doit incarner un idéal, aussi, dans sa façon d'être, de sentir, de se conduire en privé. Elles choisissent celui qui s'accorde le mieux à leur univers intérieur. Celui qui incarne l'image de l'homme le plus riche de qualités et de vertus, celui dont elles voudraient partager l'existence.

Et ceci n'est pas l'apanage des toutes jeunes filles. On retrouve le même processus chez la femme plus âgée. Année après année, elle étudie, réfléchit, explore, et découvre ainsi ce qui lui plaît, ce qu'elle désire intimement — y compris à travers les échecs et les déceptions. Et elle imagine, de même, le genre de vie qu'elle mènera auprès de l'homme qu'elle aime.

Les hommes ne connaissent pas ces sortes de rêveries, ils n'imaginent pas le quotidien d'un couple. Ils ne construisent pas mentalement un modèle idéal de vie à deux, ils ne se voient pas partageant des repas, sortant ensemble, partant en vacances. La femme anticipe, savoure à l'avance jusqu'aux moindres détails des émotions qui les attendent. Dans ses rêveries, elle le voit aussi tel qu'il devra être, comment il s'habillera, comment il se comportera, et jusqu'aux habitudes qu'elle lui inculquera. Et, souvent, elle ne prend même pas la peine de le lui dire, persuadée qu'elle est de pouvoir l'amener à se conduire comme elle l'entend.

Ce mécanisme se retrouve aussi chez les femmes qui sont parvenues à s'affirmer dans leur profession. Celles-ci se montreront plus sûres d'elles, plus exigeantes. Leurs grand-mères, qui ne pouvaient pratiquement pas se passer d'un mari pour subvenir aux besoins des enfants, devaient plus souvent renoncer à leurs projets, et baisser la tête. Elles s'adaptaient à leur mari, à ses caprices, elles cherchaient à le satisfaire. Il leur fallait se montrer complaisantes, à sa disposition. Et ceci les amenait, souvent, à se lamenter sur leur sort, sur les sacrifices consentis, les renoncements, les humiliations.

Depuis qu'elles ont conquis leur indépendance économique et se sentent autonomes, les femmes sont plus libres de choisir, de projeter leur propre avenir, et elles peuvent aussi être plus exigeantes à l'égard de l'homme, de son comportement, de tout ce qui concerne leur vie commune. Même s'il est plus haut placé pour une raison ou pour une autre, même s'il est l'objet de l'admiration générale. Dans ce cas, précisément, elles demanderont plus encore, puisqu'elles auront une image plus haute de lui comme d'elles-mêmes et de ce que devra être leur existence.

Quand ce projet de vie à deux échoue, quand la réalité se révèle trop différente de l'idéal, la femme ne le supporte pas. Toutes les études montrent que les hommes s'adaptent et s'accommodent beaucoup plus facilement que les femmes de la vie conjugale[1]. Même quand ils ne sont plus amoureux, quand les feux de la passion se sont totalement éteints, ils n'éprouvent pas le besoin de se séparer. Ils s'arrangent du mariage un peu comme s'ils devaient partager la vie de leur sœur ou de leur mère. Comme ils n'ont pas construit dans leur esprit un modèle idéal de vie quotidienne amoureuse, intime, ils n'en éprouvent pas le manque. Ils se sentent vaguement mal à l'aise, et réagissent en se réfugiant dans leurs petites habitudes, dans leur petit confort[2].

---

1. J'ai déjà cité les travaux de G. Di Fraia, en particulier *La Passione amorosa*.

2. Sur l'intimité, cf. W. Pasini, *Intimità*, Milan, Mandadori, 1990, et sur la complicité, Rosa Giannetta Alberoni et G. Di. Fraia, *Competizione et complicità*, Recherches Harmony sur le couple, Milan, 1992.

Pour la femme, c'est différent. Quand cessent l'intimité et la complicité, elle a le sentiment d'avoir perdu quelque chose d'essentiel. Partout, des femmes demandent le divorce parce qu'elles n'éprouvent plus d'amour et que le dialogue s'est rompu. L'homme divorce, en général, parce qu'il s'est épris d'une autre femme et que celle-ci lui demande de vivre avec elle ; la femme divorce parce que tout est fini, parce que son projet d'amour et de vie a sombré et qu'elle voit alors dans cet homme qui vit chez eux comme s'il était à l'hôtel un étranger qui abîme, dégrade, désacralise son univers. La maison est, pour la femme, une objectivation de son intériorité. Les études montrent que les femmes, en cas de cambriolage, sont plus traumatisées que les hommes, comme si on les avait violées. Elles en éprouvent une impression de dégoût, de salissure. Elles se hâtent de nettoyer, de désinfecter, et parfois, même, ne veulent plus habiter les lieux[1].

C'est un peu ce qui se passe quand se rompt l'harmonie amoureuse. Peu à peu, l'homme avec qui elle vit lui devient étranger. Elle souffre de le voir entrer chez elle, s'asseoir à sa table, se goinfrer des plats qu'elle a préparés, entrer dans son lit. Elle le trouve rustre, obtus, bestial. Il traîne dans la maison, le malheureux, en laissant

---

1. Luisa Leonini, *L'Identità smarrita*, Bologne, Il Mulino, 1988.

partout ses traces, comme un intrus, comme un occupant, comme un voleur. Elle ne supporte plus sa présence. Son visage, son corps, ses gestes, ses vêtements, son rasoir, sa brosse à dents lui donnent des nausées. Elle finit par l'expulser.

7

Le rang érotique

1. *Les hiérarchies*

Il nous faut maintenant introduire le concept de rang érotique. Dans toute société, dans tout groupe, existent des critères plus ou moins admis en fonction desquels telle personne sera préférée à telle autre sur le plan érotique. Ils permettent d'établir une hiérarchie entre ceux qui sont considérés comme les plus désirables et ceux qui le sont le moins. Le rang érotique est la position occupée par une personne donnée dans cette échelle, ou hiérarchie sociale, de préférence érotique.

Tom Cruise, Mickey Rourke, Christophe Lambert, Mel Gibson, Vasco Rossi occupent des rangs élevés dans le classement érotique établi par les adolescentes italiennes. De nos jours, en Russie, Boris Eltsine lui-même figure en tête de classement aux yeux de ses compatriotes. Ces différents exemples concernent de vastes sociétés. Mais chaque communauté tend à fixer ses propres critères de préférence érotique. Sur un campus universitaire, on admirera et on désirera les champions sportifs. Dans une communauté religieuse, d'autres appréciations prévaudront.

Il existe ainsi des modèles universels pour la communauté internationale, d'autres modèles pour la communauté nationale, d'autres encore pour les communautés locales, et pour diverses catégories. Tous ces critères sont sujets à des interactions complexes. En passant d'une communauté à une autre, on change de rang.

Chacun d'entre nous a, en outre, une façon personnelle, spécifique, de réagir aux stimuli érotiques. Tel individu sera insensible à la séduction et à la beauté de telle créature universellement admirée et aimée. La majorité, toutefois, subit l'influence du rang érotique, soit directement parce qu'elle partage les critères de la communauté, soit indirectement parce que les autres l'influencent par leurs éloges ou par leurs critiques.

Par rapport aux préférences individuelles, le rang érotique a un caractère extérieur, objectif. Il exprime l'opinion de la société, ce que tous ou presque tous considèrent comme beau, séduisant, admirable, ce que la majorité d'entre nous voudrait avoir pour soi.

Revenons à nos jeunes garçons et à nos jeunes

filles. La principale différence entre eux tient au fait que les filles, dans les choix amoureux, sont beaucoup plus influencées que les garçons par le rang érotique. Leur érotisme, quand il s'éveille, regarde vers le haut, vers les personnes de leur communauté qui occupent le rang le plus élevé. Ceci vaut aussi bien pour la petite communauté locale que pour la communauté internationale ou la communauté nationale. La fille rêve de Tom Cruise, qu'elle a vu au cinéma, et du champion de tennis local qu'elle a personnellement rencontré. Tous les autres ne sont pas pris en considération : ils sont en deçà du seuil d'intérêt. C'est pourquoi elle finira par tomber amoureuse d'un garçon haut placé dans le classement érotique.

Les garçons du même âge sont, eux aussi, influencés par le rang érotique. Ils sont eux aussi attirés par les plus belles actrices et par des modèles universellement admirés. Cet intérêt érotique ne se traduit pas par un sentiment amoureux. Disponibles pour des fantasmes sexuels, ils ne se laissent pas aller à un attachement sentimental. La tradition, les exemples qui leur sont offerts par la vie et par les médias, l'exemple même de leurs compagnes les portent à penser que l'homme, s'il veut être aimé, doit avoir une valeur, être quelqu'un. Ils n'imaginent pas qu'une femme aussi belle, aussi séduisante et aussi célèbre puisse s'intéresser à eux. Si cela se produisait, ils n'auraient rien à lui offrir, ils ne sauraient pas comment se comporter avec elle. D'où l'absence de ce facteur dans lequel Stendhal voit, à juste titre, l'un des fondements de l'amour naissant : l'espérance.

Cette attitude de renoncement se retrouve aussi, le plus souvent, à l'égard des plus belles et des plus admirées des filles de leur entourage. Celles-ci attendent quelqu'un d'un rang érotique beaucoup plus élevé, et il y a donc très peu de chances pour qu'elles s'intéressent à eux et leur rendent leur amour. C'est ce qu'ils apprennent à leurs dépens, au prix de maintes frustrations. Nombreux sont ceux qui finissent par carrément renoncer à la beauté, à celles que tous admirent et recherchent. Ils s'habituent à regarder ailleurs, là où ils ont une chance de voir un sourire qui leur soit vraiment destiné. C'est probablement pour cette raison que la plupart des hommes n'apprennent même pas à analyser la beauté féminine, à la distinguer de l'attrait érotique. L'érotisme masculin s'habitue à réagir à des stimuli physiques assez grossiers. Il s'excite d'un décolleté audacieux, d'une chevelure exubérante, d'une longue paire de jambes et même de jambes trop courtes si elles sont croisées de façon provocante.

Les femmes, en général, ont un œil infiniment plus sûr et plus critique. Elles ont longuement étudié le corps des actrices et des modèles, elles en ont appris les proportions, scruté tous les détails. Une haute taille ne suffira pas à les impressionner : elles repèrent tout de suite les épaules trop étroites ou le bassin trop large. Une poitrine proéminente ne leur fera pas illusion. Elles étudieront aussi le reste du corps pour vérifier si le dos est bien droit, les fesses bien rondes et joliment pourvues de fossettes, la taille mince, les jambes fines, la peau veloutée. Elles inspectent le visage, le nez bien proportionné, les oreilles petites, les cils longs. Elles observent les gestes, la grâce des mouvements. Les femmes apprennent à voir la femme mûre dans l'adolescente. L'homme, le plus souvent, ne le sait pas. A moins qu'il ne s'intéresse à la beauté féminine pour des raisons professionnelles, en tant que photographe ou metteur en scène. Ou parce qu'il occupe un rang érotique trop élevé pour s'exposer à des frustrations.

En raison de ce renoncement précoce, un autre processus se développe chez l'homme : l'amour naissant comme transfiguration d'une personne quelconque qui devient la seule désirable à ses yeux, la seule dotée de valeur, indépendamment de ce que lui indique la collectivité. Nos jeunes garçons ne s'éprennent pas de la plus belle, de celle que tous désirent, mais d'une femme banale, commune, indifférente aux autres hommes et ignorée des femmes. Cet amour naissant n'obéit pas aux hiérarchies sociales mais les subvertit, et crée sa propre échelle de valeurs. Il ne s'incline pas devant le charisme que tous reconnaissent mais, comme un véritable mouvement collectif, génère sa propre figure charismatique et la place au-dessus de toutes les autres. L'amant voit alors dans la femme aimée les signes lumineux du charisme qui en font l'unique personne dotée de valeur, l'incomparable, l'irremplaçable, l'élue.

L'amour naissant n'est plus, dès lors, la reconnaissance d'une valeur sociale consacrée. Il devient la découverte, l'épanouissement de la valeur absolue et unique de cette personne particulière. De sa singularité. Tout être humain possède une telle valeur, tout être humain est beau, tout être humain peut être aimé pour ce qu'il est. L'amour naissant accomplit ce miracle : il reconnaît la valeur d'un individu par le seul fait qu'il est ce qu'il est.

Ce processus de transfiguration amoureuse a revêtu une importance fondamentale dans la genèse des valeurs de l'individu en Occident. C'est grâce à lui qu'ont été exaltés, non pas le pouvoir que tous craignent et vénèrent, mais les qualités les plus secrètes de l'âme, les gestes, les symboles qui parlent à ce qu'il y a en nous de plus profond et de moins visible.

Nous sommes maintenant en mesure de compléter ce que nous avons déjà dit de l'éro-tisme masculin. Du point de vue sexuel, l'homme est sensible à des stimuli physiques assez grossiers. Il est aussi séduit par la beauté, mais n'en a qu'une vision confuse. Quand se déclenche le processus de l'amour naissant, l'homme devient capable d'une extraordinaire transfiguration par laquelle la personne aimée incarne l'érotisme, la beauté et la plus sublime spiritualité. Lorsque cet état de grâce prend fin, il redevient sensible à des stimuli purement sexuels. L'homme tend à osciller entre la vulgarité et l'idéalisation.

Les femmes sont souvent déconcertées par ce profond changement de l'âme masculine. Quand il tombe amoureux et fait d'elles des déesses, elles ont l'impression qu'il plane beaucoup trop haut et ignore leur réalité concrète. Puis, la transfiguration achevée, elles ont l'impression qu'il est redescendu trop bas, qu'il ne voit plus et n'apprécie plus leurs qualités et leurs vertus.

Le cheminement de la femme est tout différent. Elle commence par regarder vers le haut, vers l'homme qui occupe le rang érotique le plus élevé. Elle épouse le désir de la société. Elle ne choisit pas sa propre voie, elle obtempère à l'invite collective. Elle prend ainsi un risque, elle se met en jeu. Si le garçon souffre de graves frustrations au cours de son adolescence et de sa jeunesse, la femme va à l'encontre de graves désillusions quand elle s'aperçoit qu'elle ne pourra pas atteindre ce qu'elle a si longtemps désiré.

Le fait de regarder vers le haut, de vouloir conquérir un objectif érotique aussi élevé, l'oblige par ailleurs à être extrêmement vigilante, et à apprendre. Déjà, dans le choix de leur idole, nos adolescentes font preuve d'une capacité de jugement très élaborée. Avec le temps, et les interactions de la réalité, les jeunes femmes se font encore plus attentives, sensibles.

L'âme féminine est érotiquement stimulée par de très nombreuses qualités masculines : la beauté physique, certes, les larges épaules, les corps athlétiques, mais également les qualités morales qui s'expriment dans les traits du visage et dans les gestes : l'intelligence, l'habileté, la force, la confiance en soi, le courage, la générosité, la loyauté. Elle est, en outre, attentive à toutes les capacités de l'homme, à sa façon de parler, de chanter, de conduire une automobile ou de jouer au tennis. Et, enfin, à sa position sociale, à son pouvoir, à sa fortune, à sa réussite, à l'estime et à l'admiration qu'il suscite.

L'érotisme féminin est un outil de connaissance, le point de départ et d'arrivée d'une enquête. Il vise à la compréhension totale de l'autre. Quand une femme rencontre un homme, elle examine, étudie, jauge tout ce qu'il lui montre. Elle examine sa voiture, la façon dont il en descend, sa montre-bracelet, sa serviette.

Ces objets, déjà, sont pour elle une mine d'informations, ils lui parlent de sa profession, mais
aussi de sa personnalité, de la façon dont il joue
son rôle. Puis elle observe sa démarche, ses
gestes, sa manière de lui tendre la main, de la
regarder dans les yeux. Si elle en retire quelques
appréciations positives, son intérêt s'accroît,
s'érotise, et la pousse à étudier l'homme avec une
attention redoublée, à l'approcher, à se laisser
approcher par lui. Elle va poser des questions,
provoquer des réponses, et en retirera chaque
fois une évaluation et une excitation positive ou
négative. Enfin, si une relation s'établit entre
eux, elle usera aussi de son propre corps pour
mieux le connaître, pour l'évaluer encore plus
profondément et décider ainsi à quel moment lui
céder, et comment.

Dans l'ensemble, la femme a plus de chances
de connaître l'homme qu'il n'en a de la connaître, elle. Cette connaissance lui est précieuse
dans sa tentative pour atteindre celui qui occupe
un rang érotique plus élevé que le sien. Ce qui
ne signifie pas qu'en définitive, elle choisira
mieux. L'amour naissant est un processus explo-
sif qui se déclenche au-delà d'un certain seuil et
se fonde sur d'innombrables facteurs sociaux et
inconscients. La plus prudente des femmes peut
s'éprendre d'un homme totalement différent de
ce qu'elle imaginait. Par ailleurs, une fois passé
l'*imprinting* de l'amour naissant, la connais-

sance et la volonté n'ont plus guère d'influence sur elle.

Parallèlement, cette meilleure connaissance lui donne une conscience plus aiguë des limites et des faiblesses de l'homme qu'elle a choisi, surtout si elle l'a choisi comme pis-aller. Elle sait, bien mieux que l'homme, quel était son idéal, ce qu'elle aurait aimé, et elle perçoit clairement l'écart entre ses aspirations et la réalité. C'est ce que nous avons constaté lors de notre enquête auprès des jeunes femmes de vingt-cinq-trente ans. Bien qu'elles soient satisfaites, bien qu'elles soient amoureuses, elles n'en finissent plus de décrire leur idéal. Elles voudraient encore plus, elles conservent leur esprit critique, elles sont exigeantes. Les hommes ont des idées moins précises, parfois confuses, et ne savent pas parler de ces choses avec la même lucidité.

2. Discordances

Le rang érotique est un fait social, objectif. On pourrait même imaginer une société dans laquelle chacun ne choisirait que des personnes du même rang. Il n'en est pas ainsi dans la réalité. Certains veulent quelqu'un qui soit d'un rang érotique plus élevé, d'autres ne s'intéressent qu'à des personnes de rang érotique inférieur, et ne peuvent s'éprendre que d'elles. Le rang érotique d'un individu est sujet à variations. Il en résulte un grand nombre de discordances. Certaines sont systématiques, et nous pouvons les considérer comme normales. Cependant, au-delà d'un certain seuil, les discordances créent des tensions, des problèmes.

Toutes les femmes jeunes, si elles sont jolies, se voient concéder, dans notre société, un rang assez élevé. Elles peuvent regarder vers le haut et, comme nous l'avons vu, elles ne s'en privent pas. Le plus souvent, elles ne rencontrent jamais les personnages de leurs rêves. Avec le temps, elles réajustent leurs expectatives et deviennent capables d'aimer des êtres de leur rang. Dans certains cas, pourtant, les choses ne se passent pas ainsi. Pour avoir trop rêvé d'une vie extra-ordinaire, elles ne parviennent plus à s'adapter au normal, au quotidien. Je me souviens d'une femme qui était entrée très jeune dans le monde du spectacle et avait commencé à travailler dans le milieu élégant de la jet-set internationale. Elle était assez belle, très provocante, et pleine de vitalité. Pendant cette période de sa vie, elle avait connu une foule de grandes stars pour lesquelles elle avait de l'admiration, et avait eu une liaison avec son idole favorite. Elle s'était jetée à corps perdu dans cette aventure. Tout s'était très vite terminé, et de la façon la plus banale. Peut-être manquait-elle de la séduction, de la culture, du charme qui lui auraient permis de conquérir cet homme. Il l'avait prise parce qu'elle était jeune et pleine de vie, parce qu'elle l'attirait sexuellement. Cette aventure l'avait laissée amère, déçue.

Après quelques années d'une vie brillante, elle subit une série de déconvenues et dut se retirer. Le temps était passé, sa beauté avait perdu de son éclat. Elle n'occupait plus les toutes premières places du classement érotique, et ne pouvait plus prétendre au rang qui avait été le sien. Elle ne parvint pas à s'y faire, à réajuster ses aspirations, son idéal. Il n'y avait plus un homme qui l'intéressât vraiment. Plus personne qui sache parler à son cœur, la toucher au plus profond d'elle-même et provoquer le miracle de la transfiguration. Incapable d'en rabattre, d'établir un compromis avec ses idéaux, elle se retira en elle-même, s'enfermant dans sa solitude comme dans un cloître.

De graves frustrations guettent la femme qui épouse un homme de rang modeste le jour où celui-ci se met à progresser dans l'échelle du classement érotique. De nombreuses femmes qui ont sacrifié leur jeunesse à des hommes dont la carrière ne faisait que commencer se retrouvent dans cette situation. Souvenons-nous du Professeur Barnard, qui avait épousé une infirmière alors qu'il était encore très jeune et n'occupait pas un rang érotique élevé. Propulsé

aux tout premiers rangs par sa réussite internationale, il put s'éprendre d'une femme plus
jeune, plus belle et plus riche, c'est-à-dire d'un
rang érotique nettement supérieur.

Ces phénomènes sont parfaitement explica-
bles par notre théorie de l'amour naissant. La
réussite ouvre une nouvelle possibilité de vie et
déclenche le processus d'un amour naissant qui
se porte, cette fois, sur une personne dont le
rang érotique correspond à cette nouvelle
donne.

Dans les exemples que nous avons cités
jusqu'ici, la femme rencontrait des problèmes
parce qu'elle avait visé trop haut en jetant son
dévolu sur un homme d'un rang excessivement
élevé. On trouve aussi le cas — plus rare — de
cette jeune femme incroyablement belle, qui
travaillait comme assistante dans un important
studio de photographie et prétendait faire carrière non pas grâce à sa séduction mais par sa
seule intelligence. Les hommes les plus célèbres
qui passaient par le studio tombaient invariable-
ment sous son charme. Nombre d'entre eux
s'éprirent d'elle et lui proposèrent le mariage.
Pour ne pas transiger sur ses principes, la jeune
fille menait une vie discrète et retirée. Elle avait
pour confident un jeune représentant de com-
merce de son âge dont elle finit par tomber
amoureuse. Ils se marièrent. Elle était éblouis-
sante, d'une élégance jamais en défaut, sédui-

sante et admirée de tous. Le jeune époux, que son métier obligeait à de fréquents déplacements, devint jaloux. La jeune femme, pour le rassurer, refusait les mondanités que son propre travail requérait pourtant. Ses rivales en profitèrent. Puis elles se mirent à cancaner sur son compte, lui prêtant des vices cachés. Dans les rares occasions où elle se rendait à une réception accompagnée de son mari, les hommes ignoraient celui-ci et les femmes la regardaient de haut.

Elle finit par refuser toutes les invitations. Ses tenues se firent de plus en plus modestes, anonymes. Comme elle était grande et sculpturale, elle se voûtait, marchant tête baissée pour éviter de croiser les regards. Elle rasait quasiment les murs, comme pour cacher sa beauté, pour se cacher elle-même. Si elle avait épousé un magnat de la finance, un champion sportif ou une vedette de l'écran, en d'autres termes un homme du même rang érotique qu'elle, elle aurait continué à vivre admirée et respectée de tous.

3. L'émancipation de la beauté

Le rang érotique est constitué de nombreux composants qui changent d'une société à l'autre, et au fil de l'histoire.

Pendant très longtemps, on s'est attaché uniquement à la beauté de femmes jeunes et saines. On est stupéfait devant l'âge des grandes héroïnes de l'histoire et de l'art. Héloïse avait seize ans, la Béatrice de Dante, quatorze, Juliette quatorze également, Madame Butterfly quinze ans, et la Scarlett de *Autant en emporte le vent*, seize. C'est l'âge de nos adolescentes au moment de leur éveil amoureux, de leurs rêves, de leur vol nuptial.

Cela a été, pendant des milliers d'années, le moment magique, celui où, quand des contrats de mariage n'avaient pas été conclus dès l'enfance, la beauté pouvait s'afficher et charmer ceux qui occupaient des rangs plus élevés. Comme le fit Héloïse pour Abélard, Illaria Carretto pour Paolo Guinigi. C'est la beauté de la femme qui déclenche la première et timide affirmation d'une préférence érotique individuelle, suscite le premier contre-pouvoir à l'ordre des échanges interfamiliaux. L'homme puissant, sollicité par la beauté érotique, bouscule les convenances, impose sa volonté.

La femme ne peut que se montrer, se laisser choisir. Elle n'est pas libre d'agir pour augmenter sa propre valeur. Cette valeur se fonde sur quelque chose de purement naturel. Un certain corps, un certain visage qu'elle n'a pas créés elle-même mais qu'elle a reçus, en même temps que son statut social. Elle est appréciée, aimée, non pour ce qu'elle aura fait et mérité, mais pour ce qu'elle est, pour la façon dont elle est naturellement éclose au printemps de sa vie. La jeune fille est souvent comparée à une fleur pour son naturel, pour le miracle que constitue cette éclosion à la vie.

Ce n'est pas le cas de l'homme. A lui, on demande toujours d'agir, de se distinguer, de s'affirmer, de conquérir sa valeur sociale et érotique. Le chevalier est un produit de sa propre volonté, de l'exercice assidu de la gymnastique et du maniement des armes, des preuves de courage qu'il a su donner, de son talent pour la guerre. Il arbore tous les symboles de ce mérite personnel et aspire à une reconnaissance érotique proportionnelle. La gloire, pour lui, signifie également l'amour. La saga des romans chevaleresques mêle étroitement la gloire et l'amour. Même dans une société où les titres sont héréditaires, la séduction masculine est une qualité qui peut s'acquérir, au moins en partie, par l'action, par le mérite. Les contes nous parlent de belles princesses recluses dans un château ou endormies dans une forêt enchantée. C'est au chevalier qu'il revient de les chercher, de vaincre tous les obstacles, de triompher de toutes les épreuves. S'il vainc, il obtiendra la beauté, le pouvoir et l'amour.

A la femme, cette voie est fermée. Elle ne peut s'élever socialement grâce à ses mérites publics.

Seuls le maquillage, l'habillement, la grâce, le talent pour la conversation, tous les arts du plaire pourront lui permettre de progresser par rapport à sa situation originelle. Autant d'éléments importants, mais qui ne constituent pas un outil fondamental pour l'affirmation de la subjectivité, de la liberté intérieure féminine. La femme comprend que, par le savoir-faire, l'art et l'artifice, elle peut se rendre infiniment plus séduisante qu'elle n'est naturellement belle. L'homme, par conséquent, la choisira non pas pour ce qui lui a été donné, mais pour ce qu'elle a su acquérir par sa volonté, par l'exercice de son intelligence.

L'homme, toutefois, n'est pas conscient de son mérite. Il ne la complimente pas pour le chef-d'œuvre qu'elle a su faire d'elle-même. Pis, s'il s'aperçoit que cette beauté est le fruit d'un travail délibéré, il se trouble, se renfrogne, y voit de l'artifice, un manque de naturel. Le moralisme masculin s'est acharné pendant des siècles sur cette affirmation embryonnaire de la liberté féminine.

L'art du maquillage, le vêtement, la musique, la danse, la conversation ont été admis et sont devenus constitutifs de la valeur individuelle uniquement lorsqu'ils exprimaient le rang et la puissance. S'ils en étaient dissociés, ils étaient aussitôt assimilés au péché, rituellement réprimés et socialement bannis. Parce que leur beauté et leur charme s'épanouissent en marge du statut héréditaire, la courtisane européenne et la geisha japonaise sont neutralisées, frappées d'une sorte d'isolement sanitaire. Seules la comtesse, la marquise, la princesse ont le droit de s'habiller de façon voyante, provocante, érotique, parce que l'artifice, dans ces cas, s'accorde avec la position. La valeur sociale, la supériorité de classe engendrent une supériorité esthétique immédiate, directe. L'aristocrate sera toujours la plus belle, quelle que soit sa mise. Et plus belle encore, naturellement, si elle porte la tenue qui va avec son rang.

Dans la bourgeoisie, même les qualités morales se chargent d'une valeur érotico-esthétique. On y parle de la beauté comme d'une vertu : modestie, réserve, pâleur, pudeur, gentillesse, fragilité. Il s'agit là, au moins pour une part, de qualités inhérentes à l'âge, à l'éducation et à la fortune. Elles seyent à la jeune fille de bonne famille, et non à la paysanne ou à la soubrette. Werther s'éprend de Lotte le jour où il la voit entourée de ses jeunes frères et sœurs, telle une jeune mère pleine de douceur.

Des qualités, donc, associées à la famille, au quotidien domestique, à ce qui fait une bonne épouse et une bonne mère. Au-delà continuent d'opérer l'artifice, le maquillage et, conséquemment, la tentation, le péché. Tout ceci reflète la situation de la femme, qui ne peut s'affirmer qu'à travers le mariage et les vertus domestiques. Pas question pour elle de faire une carrière militaire, d'acquérir une notoriété dans le domaine artistique ou scientifique, ou un quelconque prestige professionnel. Elle n'est même pas libre dans la création de sa propre beauté.

Cette situation ne va changer, en termes de masse, qu'au xxe siècle avec l'accroissement des revenus, la réduction des horaires de travail, l'allégement du poids des occupations domestiques, l'augmentation générale de la mobilité sociale pour les femmes comme pour les hommes — et avec l'avènement des moyens de communication de masse, en particulier le cinéma.

Pour la première fois, la beauté va se libérer du statut social, elle devient en elle-même pouvoir et richesse, elle explose en tant que telle, s'affirme comme valeur en soi. C'est le temps des concours de *miss*, qui sont une pure célébration de la beauté physique en tant que telle. Et c'est aussi le moment où cette beauté devient un facteur de mobilité sociale grâce au cinéma. Elle peut tout procurer : la fortune, la célébrité, l'immortalité. Voire le mariage avec des hommes plus beaux, plus célèbres, ou plus puissants. Marilyn Monroe, celle que la collectivité désigne comme la plus belle, épouse Joe Di Maggio, grand champion sportif, puis Arthur Miller, célèbre intellectuel, avant de devenir la maîtresse du plus adulé des présidents des États-Unis, John Fitzgerald Kennedy.

La beauté a toujours été recherchée. Au temps de la noblesse, elle devait être associée à un titre, à un statut. A l'époque bourgeoise, à des actes et à une vertu. Dans les couches populaires de la société, elle est désirée pour elle-même, comme beauté pure. On voit ainsi s'établir deux échelles de valeur, deux classements érotiques plus ou moins correspondants. D'un côté, pour l'homme, la richesse, le prestige, le pouvoir. De l'autre, pour la femme, la beauté et le charme. Dans ce dernier s'exercent désormais le talent de l'habillage, de la parure et du maquillage. Et une correspondance biunivoque s'établit entre ces deux hiérarchies. La plus belle épousera le plus puissant. Le plus puissant aura la plus belle.

On trouve aussi, à l'état embryonnaire, une affirmation du professionnalisme féminin dans les secteurs où le corps, le physique sont importants : la danse, le théâtre, le cinéma. Apparaît ainsi, en tant que phénomène de masse, l'idole de sexe féminin comme objet de désir et d'imitation.

La fille jeune et belle, à cette époque historique, est immédiatement courtisée. Ce n'est pas seulement la famille, mais la société tout entière qui l'invite à viser haut, le plus haut possible. C'est surtout pendant qu'elle est jeune, très jeune, qu'elle dispose du maximum de possibilités. Puis, inévitablement, ces possibilités diminuent. Ainsi, elles se préparent toutes pour le vol nuptial.

Reprenons maintenant l'histoire de la valeur érotique masculine. Au temps de la noblesse, la valeur érotique de l'homme dépendait de son titre. Il avait alors la possibilité de s'affirmer personnellement dans la politique ou dans la guerre. Au titre et au charme personnel peut ainsi s'ajouter la gloire. La gloire devient un caractère sexuel secondaire.

Avec l'avènement de la bourgeoisie, la réussite personnelle et la célébrité s'étendent à la fortune et aux arts, à la poésie, à la musique, même si la séduction guerrière, le pouvoir érotique de l'uniforme restent forts. Avec l'arrivée des grands moyens de communication, l'identification spectaculaire, l'exemplarité des stars vont prendre toute leur importance.

A ce moment historique, le jeune homme normal ne vaut pas grand-chose, parce qu'il n'a pas encore fait ses preuves. S'il n'est pas riche de naissance, il n'aura guère de chances de réussir auprès des femmes que la société lui désigne comme les plus désirables, c'est-à-dire les plus jeunes et les plus belles. Il les voit le plus souvent s'éloigner au bras d'un autre ou vers une carrière dans le spectacle — devenir des idoles.

Pourtant, il dispose sur les femmes d'un

avantage certain : tout ce qu'il pourra réaliser pour s'élever socialement, dans un monde où la mobilité sociale est entrée dans les faits, se transformera aisément en séduction érotique. Sa lutte pour l'affirmation sociale est aussi une lutte pour l'affirmation érotique. Qu'il ne se soucie pas trop de son corps : s'il réussit, les femmes lui trouveront du charme, et c'est ce qui compte. Le temps joue pour lui. Il pourra, plus tard, avoir les femmes jeunes et belles qui lui étaient refusées quand il était jeune lui-même.

C'est alors qu'explosent les mouvements de jeunes et le mouvement féministe (1960-1970). Les mouvements de jeunes séparent ceux-ci du reste de la société, en font une communauté à part. A l'intérieur, on voit se modifier les critères du classement érotique. La réussite professionnelle et la richesse cèdent le pas à des valeurs philosophiques, politiques et esthétiques qui émergent du groupe lui-même. Au sommet, trônent les nouveaux leaders charismatiques : quelques hommes politiques, mais surtout des chanteurs. Dans les mouvements de jeunes, les différences de rang érotique sont moins visibles. Officiellement, elles sont niées.

Le mouvement féministe s'en prend directement aux critères érotiques masculins, les conteste, les attaque. La femme ne doit plus être appréciée pour sa beauté physique et sa jeunesse, mais pour tout ce qu'elle est, pour toutes les valeurs qu'elle défend et représente, pour ce qu'elle a mérité socialement. Le *macho* la désirait comme on veut un cheval ou un chien, sans tenir compte de sa richesse affective et culturelle. Certaines féministes se font agressives, cessent de se maquiller, de soigner leur toilette, de surveiller leur poids. Elles ne veulent plus se modeler en fonction des goûts masculins, elles veulent être authentiquement elles-mêmes et qu'on les apprécie pour cela.

Les hommes comprennent mal cet aspect de la revendication féministe. Ils ne voient pas pourquoi ils devraient être sensibles, sur le plan érotique, à des créatures qui ne s'adressent pas, absolument pas, à leur sensualité. L'érotisme n'obéit pas aux ordres du cerveau. Ils peuvent admirer une femme pour son courage, son intelligence, sa culture, ils peuvent saluer son audace et sa réussite, partager l'admiration générale qu'elle suscite, mais tout ceci ne se traduira pas soudain en attraction érotique.

Ils accueillent favorablement, en revanche, les revendications du féminisme touchant à l'émancipation sociale. Les femmes investissent de nombreuses professions jusqu'alors réservées aux hommes et commencent à y réussir. Pour la première fois dans l'histoire, elles sont en position de construire leur propre valeur sociale en tant qu'individus, et non plus comme membres d'une famille ou épouses de quelqu'un.

4. *La construction de soi*

Aujourd'hui, pour la première fois dans l'histoire, hommes et femmes se font face comme des individus à qui est offerte la possibilité de construire leur propre valeur. C'est une mutation profonde qui s'amorce et qui se manifeste, dans sa première phase, par la découverte du corps et la construction esthétique du moi.

Quelque chose d'analogue s'était déjà produit en Grèce, voici plus de deux mille ans. Les Grecs avaient compris que le corps est le premier objet de la subjectivité libérée, de la volonté libérée. Le lieu où s'exprime et se manifeste la liberté créatrice de l'esprit. Aussi le modelaient-ils comme un idéal divin et représentaient-ils les dieux comme des modèles de beauté. La nature, pour les Grecs, n'est pas belle en soi : elle ne le devient que remodelée par la volonté, transfigurée par un idéal. C'est un peu ce qu'on va redécouvrir à la fin de notre XXᵉ siècle, et ce phénomène concerne les deux sexes. Le corps devient un objet de soins, de construction. C'est l'époque du *body-building*, de la gymnastique, du *jogging*, des cures de santé, des régimes.

Le processus est facilité par l'allongement extraordinaire de la durée moyenne de vie qui dépasse soixante-dix ans pour les hommes et approche les quatre-vingts ans pour les femmes. Dans un arc de vie à ce point dilaté, on ne comprend plus pourquoi la beauté devrait rester l'apanage de la jeunesse chronologique. Peu à peu s'impose l'idée qu'on restera jeune si on se garde biologiquement et psychologiquement en forme grâce aux traitements médicaux, à une vie saine, à un corps bien entretenu. C'est une exigence qui se pose pour les femmes, mais aussi pour les hommes. Le temps n'est plus où l'homme qui avait réussi, qui avait le pouvoir et la richesse pouvait s'autoriser un physique d'obèse et des chairs flasques. Il doit être physiquement en forme, pratiquer des sports, montrer qu'il attache de l'importance à son physique, à sa vigueur. Le nouveau patron, le nouvel entrepreneur, le nouveau politique jouent au tennis, au golf, fréquentent les salles de gymnastique, montent à cheval, pratiquent les sports d'hiver, pilotent un bateau à voile. Ces pratiques, ces savoir-faire, sont le complément indispensable de leur habileté en affaires ou en politique.

Et le nouveau patron ne saurait se contenter de pratiquer un sport. Il doit le connaître à fond, y apporter une dimension culturelle. Il en étudiera l'histoire, les champions et leurs performances, les techniques, la physiologie, la pathologie, les régimes. L'activité physique se fait culture, art et science. Comme au temps de l'aristocratie, quand le sport, la chasse et la guerre constituaient un savoir. On voit naître ainsi un type nouveau de gentilhomme qui doit se tenir informé de la vie politique et artistique, connaître les sports, les jeux, les mets et les vins, savoir tenir une conversation, s'exprimer en public et posséder un corps modelé par l'effort et la volonté.

Le modèle féminin, de nos jours, n'est guère différent. La beauté peut et doit s'acquérir. Le corps doit être modelé, aminci, maintenu jeune par des régimes appropriés et par les interventions de la chirurgie esthétique. La cosmétique, l'art du vêtement participent à la séduction, ainsi qu'un nombre croissant de facteurs qui ne sont plus des dons de nature, mais le produit d'un effort, d'un mérite : l'intelligence, l'instruction, la grâce, l'esprit, mais aussi le savoir-faire social ou mondain, vertu qui n'avait jadis d'importance qu'au sein de l'aristocratie.

Nous avons vu qu'au cours de la phase précédente, la femme, quand elle était belle, entrait dans le monde du spectacle pour devenir danseuse, actrice de théâtre ou star de cinéma. Dans ces emplois, sa capacité d'attraction s'est multipliée. Elle ne se contente plus d'être belle et fascinante. Les grandes stars de Hollywood avaient une forte personnalité, exactement comme leurs collègues masculins. Le processus de transfert sur le rang érotique des capacités démontrées dans la vie sociale s'est amplifié et il va plus loin : la journaliste de télévision, la directrice d'hebdomadaire, la femme de lettres célèbre ou la psychologue en renom commencent à exercer une fascination jusqu'ici réservée aux princesses ou aux grandes stars.

Peu à peu, la femme voit elle aussi sa réussite personnelle, l'affirmation de ses propres qualités jouer comme autant de dividendes qui viennent enrichir son capital érotique — son rang. A une condition, toutefois : qu'elle prenne soin de son corps, respecte les modèles esthétiques de la collectivité. Les féministes prétendaient rester attirantes quand elles se présentaient débraillées et agressives. Chose que même l'homme, aujourd'hui, ne peut plus se permettre.

Pour la femme, la contrainte esthétique demeure toutefois plus importante. L'apparence est encore un filtre, un critère de jugement, le langage dans lequel s'exprime la valeur. Une femme importante, qui a réussi, doit soigner son apparence et se faire belle si elle veut qu'on la considère. Les titres, la célébrité sont insuffisants pour se faire désirer. De même, le pouvoir et le charisme ne sont pas essentiels pour se faire aimer. Le type de séduction érotique susceptible d'opérer sur l'immense majorité des hommes est accessible à presque toutes les femmes. Il ne dépend même plus de l'âge. Être ou ne pas être séduisante relève désormais d'un choix, d'une volonté, d'un style de vie. Le rang érotique est de moins en moins un acquis héréditaire, naturel ; il est de moins en moins lié à un certain type de physique et de plus en plus une question de culture, d'autoconstruction.

Les hommes et les femmes, ainsi, se sont rapprochés. Pour les hommes, la maîtrise du corps, le sport, les activités viriles, et par là même l'esthétique sont devenus une composante de l'affirmation sociale, de la réussite professionnelle. Pour la femme, la réussite professionnelle se traduit de plus en plus en acquis esthétiques, en termes de rang érotique. Pour les deux, une importance de plus en plus grande est donnée à la volonté, à l'autoconstruction, à la culture.

N'en concluons pas pour autant que les deux sexes sont devenus identiques et réagissent de la même façon. Une ligne d'évolution n'est pas un point d'arrivée. C'est ce que notre enquête montre clairement.

Épilogue

Nos sentiments, nos réactions émotionnelles, l'amour plongent leurs racines dans le plus lointain passé de l'espèce. Ils sont modelés par la structure de notre langue, par ses mots. Ils sont aussi profondément influencés par les relations sociales spécifiques à chaque époque. Ainsi le cadre est-il perpétuellement nouveau, inédit, alors que, à l'arrière-plan et en filigrane, on peut entrevoir quelque chose de très ancien.

Telle est l'impression que nous avons retirée de ce voyage d'exploration qu'a été notre enquête. En étudiant les comportements, les attitudes, les pensées des jeunes femmes nous avons vu apparaître clairement ce mélange d'ancien et de nouveau. Elles vivent dans une grande cité, poursuivent des études, sont engagées dans une activité professionnelle, veulent s'affirmer dans la société. Elles ne doivent plus leur statut à leur mariage, comme leurs aïeules, mais le conquièrent elles-mêmes. Le plus souvent, elles se marient tardivement, vers vingt-cinq ans, parfois plus. Et pourtant, quand s'éveille leur érotisme, elles se sentent violemment attirées par un homme que sa position place au-dessus d'elles, soit en raison de son âge, soit par son statut, son prestige social, ses mérites, ses qualités humaines. Un homme qui émerge du lot, qui excelle en quelque domaine, et pas seulement au sein de leur petit groupe, mais dans la société. Elles s'intéressent aux vedettes de la chanson, aux acteurs, aux champions sportifs, aux intellectuels, et ne sont pas attirées érotiquement. Elles les prennent pour objet de leurs rêveries et, dans la plupart des cas, leur préfèrent un garçon réel, qu'elles disent aimer, et auquel elles sont sincèrement attachées.

Quel est le poids du passé ? Peut-être ont-elles trouvé leurs modèles amoureux dans la tradition littéraire et cinématographique pour laquelle la femme acquiert sa mobilité sociale grâce au mariage. On voit pourtant se manifester clairement la tendance ancestrale et génétique à procréer des enfants vigoureux, valeureux, puissants, nés d'un père que tous respectent et qui saura leur garantir protection et sécurité. Autrement dit, le chef, le héros, celui qui se tient au centre de la communauté.

Est-ce bien vrai ? Dans un village, déjà, ou au

sein d'une tribu, il ne devait pas être facile d'accéder à la mobilité sociale par le biais du mariage, dans la mesure où l'institution matrimoniale a toujours été, en fait, un échange économique et rituel complexe entre des familles. Puis elle a pratiquement disparu dans une société stratifiée par les classes, les titres et les positions héréditaires. Pendant une longue période historique, la mobilité par le mariage est restée le privilège des mâles. Les héros grecs ne séduisent pas, ni n'épousent, les bergères et les servantes. Ariane et Médée sont des princesses, Hélène est reine de Troie. Dans les cours d'amour provençales, les troubadours chantent leur amour pour la châtelaine. Tristan et Lancelot tombent amoureux de leur souveraine. Dans *Orlando Furioso*, Angelica, la plus belle des femmes, est fille de roi et c'est Medoro, le beau petit soldat, qui fera carrière en l'épousant. Dans les contes, le prince charmant arrive pour Blanche-Neige ou pour la Belle au Bois dormant, deux princesses de sang royal, et non pour leurs suivantes. Il faudra attendre Cendrillon pour trouver une histoire symétriquement opposée, dans laquelle une jeune fille pauvre réussit, grâce à sa beauté, à épouser le fils du roi. Ce conte nous dit que le déclin de la société nobiliaire était déjà amorcé, avec l'entrée en scène de la mobilité sociale spécifique à la bourgeoisie. Aux yeux de l'aristocratie, l'histoire de Cendrillon aurait paru de fort mauvais goût, puisqu'elle se conclut par un mariage morganatique susceptible de coûter son trône au jeune prince.

Mais les grand-mères de nos jeunes filles, dans la plupart des cas, étaient des paysannes et des ouvrières, et n'avaient ni le temps ni la possibilité de rêver à des épousailles princières. Leur famille les considérait comme un poids et, si elles voulaient trouver mari, il leur fallait apporter une dot. La beauté n'était pas encore considérée comme un patrimoine suffisant. Elles se mariaient très jeunes, à quinze ou seize ans, avec un paysan du coin, et seules les plus belles — conformément aux critères de l'époque et de la région — avaient un espoir d'améliorer quelque peu leur condition.

Les villes offraient plus de possibilités, surtout dans les périodes révolutionnaires, au moment des bouleversements politiques. Mais le grand — et radical — changement s'est produit avec le développement de l'industrie du spectacle, lorsque la beauté féminine est devenue une ressource économique, en particulier avec le cinéma, avec Hollywood. C'est alors que la beauté devient une clef de la réussite, de la richesse, du pouvoir. Désormais, les hommes fortunés songeront à s'offrir une belle femme comme le plus beau joyau de leur fortune et ceux qui ont réussi comme le couronnement de leur carrière. Alors, seulement, les jeunes filles peuvent rêver de se hisser jusqu'au sommet par le biais du mariage et de l'amour. Mais ceci date d'une époque récente, d'hier à peine.

Nos jeunes filles sont déjà au-delà de cette situation. Elles ne rêvent pas de faire du cinéma, de devenir des stars. Elles ne rêvent même pas d'un riche mariage. Elles rêvent d'être aimées par un homme séduisant que leur communauté leur désigne unanimement comme un idéal. Ce peut être la communauté restreinte de leur classe ou de leur école, celle de leur pays, ou du grand village planétaire créé par les médias. Et les habitants de ce village que tous voient, dont tous parlent, que tous connaissent, sont les stars, les idoles. Ainsi prennent naissance les rêveries à propos des idoles. Ces jeunes filles ne sont pas destinées à se marier tôt, à installer leur maison et à mettre au monde des enfants. Leurs amours garderont longtemps un caractère exploratoire. Ainsi, les rêves et la réalité peuvent coexister, s'alimenter réciproquement.

Les idoles ne représentent plus seulement un statut plus élevé, mais aussi une qualité de l'expérience amoureuse, une intensité de la relation. On n'aime plus le chanteur parce qu'il est riche, mais parce qu'il est capable de parler à votre cœur mieux que ne saurait le faire un garçon ordinaire. On n'aime plus seulement l'acteur parce qu'il mène une vie extraordinaire, mais parce qu'il confère à la vie une dimension extraordinaire. Le prince charmant est de plus en plus un prince des sentiments, des émotions. A travers ces rêves et ces pensées, la jeune fille se construit un modèle élevé d'intimité amoureuse. Hier, elle ne le pouvait pas. Elle devait se plier à la réalité. Aujourd'hui, avec la possibilité de faire carrière qui lui est offerte, elle peut se montrer plus exigeante en amour.

Nos jeunes filles affrontent l'existence, les fiançailles, la vie en commun, le mariage avec une grande confiance en elles-mêmes, conscientes de leur indépendance et de leur valeur, habitées, aussi, par un idéal très élevé — tant en ce qui concerne les qualités de l'homme qu'elles pourront aimer qu'en ce qui concerne le type d'intimité amoureuse auquel elles souhaitent parvenir. Elles s'exposent, du coup, plus facilement à la frustration, notamment parce que les hommes avec lesquels elles sont quotidiennement en contact sont de moins en moins en mesure de se montrer à la hauteur de leurs rêves.

La position de ces derniers a subi de profonds changements. Il y a quelques dizaines d'années à peine, la société les plaçait au-dessus des femmes. Elle les tenait pour plus intelligents, plus adroits, plus entreprenants. Chacun d'eux pouvait se voir comme le prince charmant de sa Cendrillon, en sachant qu'elle ne poserait pas d'exigences démesurées. La société leur disait d'être patients pendant qu'ils étaient jeunes, de faire leurs études, de travailler, de lutter âprement, et leur offrait comme récompense la fortune, la beauté et l'amour. Et ils n'avaient pas, en vérité, très longtemps à attendre : le mariage, les enfants arrivaient très vite.

Aujourd'hui, les garçons n'ont plus la moindre raison de s'estimer supérieurs. Ils font leurs études dans les mêmes établissements que les filles, exercent les mêmes métiers. Ils voient autour d'eux des filles sûres d'elles-mêmes et de leur valeur, et qui visent haut. Qui les prennent et les rejettent avec désinvolture. Et qui sont souvent, à l'évidence, insatisfaites de ce qu'elles trouvent. D'une certaine façon, elles en veulent à leurs compagnons de ne pas être à la hauteur de ce qu'elles désirent, attendent, exigent.

Les jeunes hommes ont d'autant plus de mal à satisfaire les attentes de ces jeunes filles qu'ils se heurtent à un obstacle nouveau : il faut plus longtemps, aujourd'hui, pour affirmer sa valeur sociale, et il leur arrive de se laisser devancer par des compagnes mieux formées, plus entreprenantes, plus ambitieuses.

Dans ce scénario insolite, les garçons ont tendance à tomber amoureux plus vite et de façon plus durable, et quand ils parviennent à se faire aimer à leur tour, ils sont heureux, ils ont l'impression d'avoir atteint le but. Les rôles sont inversés : les filles, hier, aspiraient à la stabilité conjugale ; aujourd'hui, ce sont les garçons. Et c'est au tour des filles de paraître plus instables, plus insatisfaites. Ce sont elles, désormais, qui changent sans cesse de partenaire, à la recherche d'un idéal qu'elles ont du mal à trouver. Elles en sont frustrées et peuvent devenir agressives, humilier encore plus le garçon qui, diminué et désemparé, correspond encore moins à leur idéal. Jadis, c'était l'homme qui perdait tout intérêt érotique pour une femme confinée à un rôle domestique répétitif et avilissant. Aujourd'hui, c'est la femme qui voit s'évanouir son désir pour un homme qui n'a plus rien d'héroïque.

Que se passera-t-il dans les prochaines années ? Ce type de situation, où les femmes sont portées par un niveau d'aspirations trop élevé, ne peut durer. Parce qu'il conduit trop souvent à la déception. L'expérience finira par leur enseigner qu'il est inutile d'attendre ce qui n'existe pas. Peut-être est-ce déjà le cas dans certains milieux et dans certains pays. Les filles rêvent pendant quelques années, puis renoncent au rêve et, en quelque sorte, renoncent au grand amour. Elles apprennent elles aussi, comme les garçons, à séparer sexualité et amour; elles découvrent les charmes de l'aventure sans lendemain, au moins jusqu'au moment où elles sentent qu'il est temps de se marier et qu'elles en ont assez d'être seules. Mais elles peuvent aussi décider de vivre seules, d'élever seules leur enfant. Tout cela donne un monde moins riche de rêves, plus réaliste et plus fade. Le déclin de l'imaginaire entraîne fatalement, dans sa chute, la tension qui anime le réel.

Peu à peu, on verra changer aussi les modèles érotiques des deux sexes. Les femmes accorderont peut-être moins d'importance à la supériorité, à l'excellence, à la valeur des hommes. Et les hommes apprécieront davantage, en tant que facteur érotique, la réussite personnelle de la femme, sa capacité à s'affirmer face au monde. La femme, peut-être, sera plus sensible à la beauté et à la jeunesse chez les hommes, tandis que l'homme se laissera charmer par tout ce qu'une femme ne doit qu'à elle-même.

Peut-être... Peut-être, aussi, les choses se passeront-elles autrement, et verrons-nous se forger de nouvelles valeurs, de nouveaux idéaux, de nouveaux buts apparaître. Il est très difficile, voire carrément impossible de prévoir l'évolution des rapports entre les sexes dans une société aussi dynamique et complexe que la nôtre. Une chose, toutefois, semble certaine : les vrais acteurs du changement, ceux qui l'impulsent, sont les femmes. La jeunesse de l'Occident, c'est elles. Elles sont porteuses d'une vitalité nouvelle, d'une énergie créatrice capable de se transfigurer et de transfigurer le milieu dans lequel elles vivent. Capables d'investir des objets d'amour totalement différents : tantôt l'amant, la maison, tantôt l'enfant ou le travail, tantôt la réussite ou quelque cause sublime. Avec chaque fois la même vigueur, la même détermination têtue, la même intrépidité à tout risquer, à tout remettre en jeu en commençant par soi-même. A se perdre et à se retrouver, à s'adapter avec une surprenante rapidité au vent de l'histoire, à inventer et à forger des ressources émotionnelles qui nourriront le processus créatif de l'esprit de leur temps.

Annexe

L'enquête a été menée auprès d'un échantillon d'étudiants milanais composé de la façon suivante :

Tableau 1

	13 ans	15 ans	18 ans	21 ans
Garçons	20	21	20	20
Filles	20	21	21	20

Les entretiens étaient semi-directifs, enregistrés et transcrits. Ces tableaux regroupent les informations suivantes :

1. Intensité de l'amour actuel. Elle est évaluée en prenant en compte les déclarations du sujet interrogé, mais aussi les signes d'émotion qu'il a manifestés, la gestuelle, l'intensité de la voix, les exclamations, etc. L'échelle d'évaluation va de zéro à quatre, exprimée par un nombre correspondant d'astérisques (*).

2. La réciprocité. Si l'amour est partagé, c'est indiqué par oui. S'il n'est pas partagé, c'est indiqué par le signe –. S'il y a eu une violente frustration, ce sera ––.

3. Intensité de l'amour pour l'idole. On utilise la même échelle que pour l'intensité de l'amour pour un garçon réel.

213

4. Aventure érotique avec l'idole. Si le sujet la désire, c'est indiqué par un oui. Dans le cas contraire, c'est le signe –.

5. La dernière colonne fait apparaître la préférence pour le garçon réel (R) ou pour l'idole (Idole).

Voyons maintenant les tableaux qui font la synthèse de toutes les réponses de nos sujets. En commençant par les garçons et les filles de treize ans.

Tableau 2 - 13 ans

Garçons					
Cas	Amour actuel	Amour partagé	Amour idole	Aventure	Choix
1	***	—	**	—	R
2	***	oui	***	—	Idole
3	**	—	—	—	R
4	—	—	—	—	R
5	***	—	—	—	R
6	—	—	—	—	R
7	*	—	—	—	R
8	***	—	—	—	R
9	***	—	—	—	R
10	**	—	—	—	R
11	**	oui	—	—	R
12	**	—	—	—	R
13	*	—	—	—	R
14	***	—	—	—	R
15	***	—	*	—	Idole
16	**	—	—	—	R
17	***	—	—	—	R
18	—	—	**	—	Idole
19	—	—	—	—	R
20	***	—	—	—	R
Filles					
1	***	—	—	—	R
2	*	oui	***	—	Idole
3	—	—	***	—	Idole
4	—	—	*	—	Idole
5	—	—	**	—	Idole
6	—	—	—	—	R
7	*	—	—	—	R
8	*	—	**	—	Idole
9	—	—	—	—	R
10	**	—	**	—	R
11	—	—	***	—	R
12	—	—	*	—	Idole
13	—	—	—	—	R
14	**	oui	—	—	R
15	**	—	*	—	Idole
16	—	—	*	—	Idole
17	**	—	—	—	R
18	—	—	*	—	Idole
19	—	—	—	—	R
20	**	—	***	—	Idole

Comme on peut le voir, les garçons de treize ans s'éprennent de personnes réelles plus facilement que les filles du même âge, et moins facilement des idoles. C'est l'inverse chez les filles, qui sont sensiblement plus nombreuses à opter pour l'idole. L'amour pour un garçon ou une fille réels est rarement partagé. On ne rêve pas d'aventures érotiques.

Tableau 3 - 15 ans

Garçons					
Cas	Amour actuel	Amour partagé	Amour idole	Aventure	Choix
1	**	—	—	oui	Idole
2	**	—	**	—	R
3	—	—	***	—	Idole
4	—	—	***	—	Idole
5	—	—	—	—	R
6	***	oui	—	—	R
7	—	—	—	—	R
8	—	—	—	—	R
9	—	—	*	oui	Idole
10	—	—	—	—	R
11	—	—	—	—	R
12	—	—	—	—	R
13	—	—	***	—	Idole
14	—	—	—	—	R
15	—	—	*	—	R
16	***	oui	—	oui	R
17	***	—	—	oui	R
18	—	—	—	oui	R
19	—	—	**	—	R
20	***	—	—	—	R
21	***	—	—	—	R
Filles					
1	**	—	***	—	Idole
2	—	—	*	—	R
3	***	oui	*	—	R
4	***	oui	*	—	R
5	**	—	*	—	R
6	—	—	—	—	R
7	**	—	**	—	Idole
8	—	—	****	—	Idole
9	***	oui	—	—	R
10	—	—	**	—	R
11	**	oui	**	—	Idole
12	***	oui	***	—	Idole
13	***	oui	***	oui	R
14	**	oui	—	—	R
15	*	oui	***	—	Idole
16	***	oui	****	—	Idole
17	***	—	***	—	Idole
18	—	—	****	—	Idole
19	*	oui	***	—	Idole
20	—	—	****	—	Idole
21	**	oui	****	—	Idole

On voit ici, assez clairement, que l'intensité amoureuse des garçons envers des personnes réelles a diminué. Le plus souvent, leur amour n'est pas partagé et des signes de frustration — apparaissent. L'amour pour des idoles, lui-même, est peu fréquent. On choisit plutôt des filles réelles.

Chez les filles, le schéma est tout différent. Le sentiment amoureux pour des garçons susceptibles de répondre à leur amour est fréquent, mais moins que celui pour des idoles, sur lesquelles se portent plus de la moitié des choix.

Tableau 4 - 18 ans

Garçons					
Cas	Amour actuel	Amour partagé	Amour idole	Aventure	Choix
1	*	—	—	oui	R
2	—	—	—	oui	R
3	—	—	—	—	R
4	—	—	—	oui	R
5	—	—	—	—	R
6	—	—	—	—	R
7	—	—	—	—	R
8	—	—	—	oui	R
9	***	oui	—	—	R
10	**	—	—	oui	R
11	***	oui	***	oui	Idole
12	—	—	—	oui	R
13	—	—	**	oui	Idole
14	***	oui	—	oui	R
15	***	oui	—	oui	R
16	***	—	***	oui	Idole
17	**	oui	*	oui	Idole
18	***	oui	—	oui	R
19	—	—	—	oui	Idole
20	***	oui	—	—	R
Filles					
1	—	—	***	—	Idole
2	—	—	*	—	R
3	***	oui	*	—	R
4	**	oui	***		R
5	***	oui	*	—	R
6	**	oui	***	oui	Idole
7	**	—	****	oui	Idole
8	—	—	***	oui	Idole
9	***	oui	***	oui	Idole
10	**	oui	***	—	Idole
11	—	—	*	—	R
12	***	oui	*	—	R
13	***	oui	**	oui	R
14	—	—	***	—	Idole
15	***	—	****	—	Idole
16	**	oui	***	oui	R
17	*	oui	***	oui	Idole
18	**	oui	***	—	Idole
19	—	—	**	—	R
20	—	—	***	oui	R

Chez les garçons, apparaissent les rêveries purement érotiques, dont il n'y a pas trace chez les filles.

Le schéma a encore changé. Chez les garçons, le sentiment amoureux pour des filles réelles se fait plus fréquent, tout comme les cas d'amour partagé. L'amour pour les idoles diminue, ils fantasment des aventures érotiques avec elles.

Tableau 5 - 21 ans

Cas	Amour actuel	Amour partagé	Amour idole	Aventure	Choix
Garçons					
1	****	oui	—	oui	R
2	***	oui	—	oui	R
3	***	oui	—	oui	R
4	—	—	—	—	R
5	****	oui	—	oui	R
6	****	oui	—	oui	R
7	**	oui	—	oui	R
8	**	oui	—	—	R
9	***	oui	—	oui	R
10	****	oui	—	oui	R
11	***	oui	—	oui	R
12	—	—	—	oui	R
13	***	—	—	oui	R
14	****	oui	—	oui	R
15	****	oui	—	oui	R
16	**	oui	—	oui	R
17	—	—	—	oui	R
18	—	—	—	oui	R
19	—	—	—	oui	R
20	*	oui	—	—	Idole
Filles					
1	*	oui	**	—	Idole
2	**	oui	—	—	R
3	***	oui	—	—	R
4	**	oui	**	—	Idole
5	**	oui	—	oui	R
6	**	oui	—	—	R
7	*	oui	—	oui	R
8	**	—	***	—	Idole
9	—	—	***	—	Idole
10	**	—	**	oui	Idole
11	****	oui	***	—	Idole
12	**	oui	—	oui	R
13	*	oui	—	—	R
14	****	oui	*	—	R
15	*	oui	***	—	Idole
16	*	—	***	—	Idole
17	**	oui	**	—	R
18	***	oui	**	oui	R
19	***	oui	*	—	R
20	**	oui	***	—	Idole

Chez les filles, on voit augmenter le sentiment amoureux aussi bien pour des garçons réels que pour des idoles qui, souvent, leur sont préférées. Les rêveries purement érotiques sont rares.

Chez les garçons de vingt et un ans, on voit se multiplier les cas d'amour partagé pour des filles réelles. Disparition totale de l'amour pour des idoles, auxquelles ils ne pensent que pour des aventures purement érotiques.

Les filles sont moins souvent engagées dans des amours avec des garçons réels, même si ces amours sont presque toujours partagés. On voit diminuer, par rapport à l'âge précédent, l'amour pour les idoles — qui sont tout de même plus souvent préférés.

Voyons maintenant quelques données résumées. Dans le tableau 6, on trouvera les moyennes d'intensité amoureuse pour les idoles.

Tableau 6

Intensité moyenne de l'amour pour le garçon réel

(échelle de 0 à 4)

Age	Garçons	Filles
13 ans	1,95	0,85
15 ans	0,90	1,71
18 ans	1,30	1,60
21 ans	2,30	2,60
Total	1,61	1,69

Intensité moyenne de l'amour pour l'idole

échelle de 0 à 4)

Age	Garçons	Filles
13 ans	0,40	1,20
15 ans	0,71	2,33
18 ans	0,45	2,50
21 ans	0,00	1,50
Total	0,39	1,88

218

L'analyse de la variance montre que les différences avec la personne réelle ne sont pas significatives.

Chez les garçons, l'amour pour les filles réelles l'emporte sensiblement sur l'amour pour les idoles. Chez les filles, au contraire, les idoles comptent plus, et c'est particulièrement vrai dans la classe d'âge intermédiaire (quinze à dix-huit ans).

Le tableau 7 regroupe les cas dans lesquels l'amour pour la personne réelle est partagé.

Tableau 7
Cas d'amour partagé. Valeurs absolues et pourcentages

Age	Garçons		Filles	
	Val. abs.	%	Val. abs.	%
13	2	10,0	2	10,0
15	2	9,5	11	52,0
18	7	35,0	11	55,0
21	13	65,0	16	80,0
Total	24	30,0	40	49,0

Les différences de pourcentage sont significatives. On y voit une situation nettement en faveur des filles. Seuls les garçons de vingt et un ans voient leur amour partagé avec une certaine fréquence.

Dans le tableau 8, nous relevons la fréquence à laquelle les deux sexes choisissent l'idole ou la personne réelle. Là encore, les différences de pourcentage sont significatives. Comme on le voit, la différence entre les sexes est très importante, et systématique.

Le dernier tableau indique la disponibilité pour une aventure purement érotique. Les chiffres sont donnés en valeur absolue, les pourcentages sont significatifs.

LE VOL NUPTIAL

Tableau 8

Choix du garçon. Amour réel ou idole. Valeurs absolues

Age	Garçon	Idole	Garçon	Idole
13 ans	17	3	10	10
15 ans	16	5	8	13
18 ans	15	5	10	10
21 ans	19	1	11	9
Total	67	14	39	42

Tableau 9

Age	Garçons	Filles
13 ans	0	0
15 ans	5	1
18 ans	13	7
21 ans	17	5
Total	35	13

Table des matières

Cet ouvrage a été composé par
Graphic Hainaut (59690 Vieux-Condé)
et imprimé par SEPC à Saint-Amand-Montrond (Cher)
pour le compte de la Librairie Plon

Achevé d'imprimer le 25 avril 1994

N° d'Édition : 12431. N° d'Impression : 1102.
Dépôt légal : avril 1994.

Imprimé en France